& CAKE POPS, cookie pops tartas decoradas

CAKE POPS, cookie pops & tartas decoradas

SUEÑOS DULCES

Carmen Fernández

LIBSA

© 2013, Editorial LIBSA
C/ San Rafael, 4
28108 Alcobendas (Madrid)
Teléf.: 91 657 25 80
Fax: 91 657 25 83
e-mail:libsa@libsa.es
www.libsa.es

COLABORACIÓN EN TEXTOS E ILUSTRACIÓN: Carmen Fernández, Marina Ruiz y equipo editorial Libsa
EDICIÓN: equipo editorial Libsa
DISEÑO DE CUBIERTA: equipo de diseño Libsa
MAQUETACIÓN: equipo de maquetación Libsa
ILUSTRACIONES: Photos.com, Shutterstock Images, 123RF y archivo Libsa

ISBN: 978-84-662-2653-0

DL: M 37392-2012

Contenido

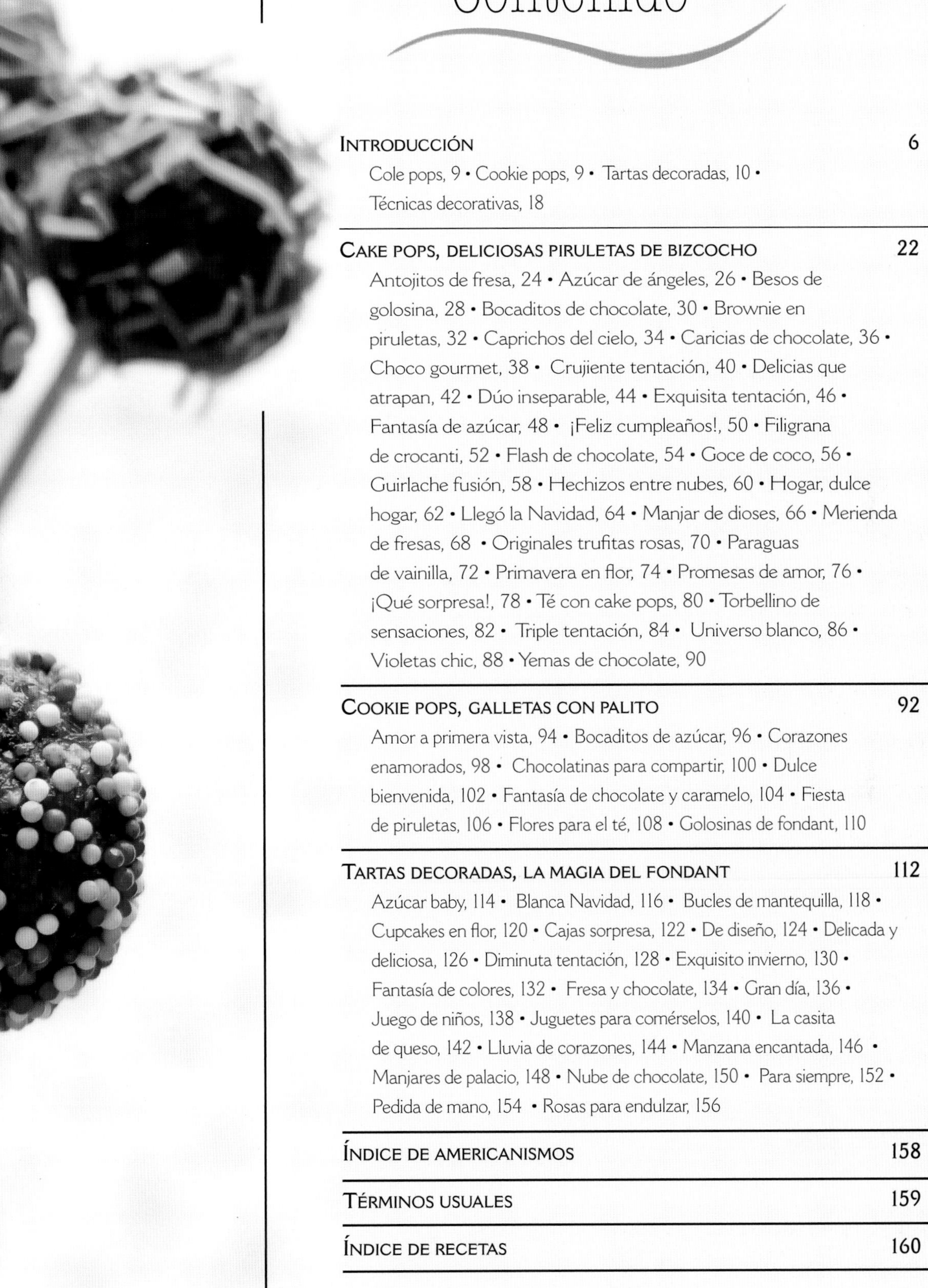

Introducción

AUNQUE PUEDE QUE NOS SUENE RARO EL TÉRMINO «DULCES DE DISEÑO», SEGURO QUE EN ALGUNA OCASIÓN HEMOS PROBADO UN DELICIOSO CAKE POP O UNA DIVERTIDA COOKIE POP O, INCLUSO, HEMOS SOÑADO CON ESAS MARAVILLOSAS TARTAS FONDANT QUE HEMOS VISTO FOTOGRAFIADAS EN ALGUNA REVISTA O «COMIDO CON LOS OJOS» A TRAVÉS DE LA VITRINA DE UNA PASTELERÍA. PUES PRECISAMENTE ESTOS «CAPRICHOS» SON LA REPOSTERÍA DE DISEÑO, DULCES –A PEQUEÑA O GRAN ESCALA– QUE NO SOLO NOS DELEITAN EL PALADAR, SINO QUE SATISFACEN TODOS NUESTROS SENTIDOS Y SON UNA AUTÉNTICA DELICIA PARA NUESTRA VISTA E IMAGINACIÓN. UNA REPOSTERÍA DIVERTIDA, CREATIVA, GENIAL Y ÚNICA, ADEMÁS DE DELICIOSA, Y, SOBRE TODO, AL ALCANCE DE NUESTRAS MANOS, PUES CUALQUIERA DE NOSOTROS PODEMOS LLEGAR A REALIZAR ESTAS PEQUEÑAS OBRAS MAESTRAS CON MENOS ESFUERZO DEL QUE CREEMOS.

Repostería creativa: dulces de fantasía

La repostería creativa está de moda. Solo tenemos que echar un vistazo a los foros, webs y blogs, así como a los estantes de las librerías repletos de libros de repostería para ver cómo cada día son más numerosas las personas que se animan a elaborar dulces con diferentes tipos de coberturas y cremas para decorarlos de formas originales.

Sin embargo, pese al auge de este tipo de repostería, todavía son pocos los libros verdaderamente útiles sobre este tema. La gran mayoría son libros ingleses y americanos que están repletos de términos culinarios que a veces nos crean más de una duda y confusión. Por ejemplo, el término que se usa para englobar todos los glaseados dulces empleados para decorar cupcakes o tartas es frosting. Pero esta palabra se usa en Estados Unidos, mientras que en Inglaterra se emplea el termino icing, aunque ambos designan a lo mismo. Estos dos términos no han sido elegidos al azar: frosting sería como un escarchado e icing se referiría a helado, porque las cremas y glaseados que se utilizan para decorar proporcionan ese mismo efecto. Frosting es, por tanto, el término general, aunque luego hay distintos tipos, como podemos ver en el recuadro.

- **Glaseado o glasé icing:** es la cobertura más básica, generalmente usada en galletas, hecha con azúcar glas o impalpable y agua.
- **Glaseado real o royal icing:** es más consistente, ya que al azúcar glas se suma la clara de huevo y un poco de limón.
- **Fondant:** es la cobertura más usada para forrar tartas y hacer figuritas, puesto que es más dura y modelable. Aunque hay distintos tipos de fondant, básicamente podríamos agruparlos en sólidos y líquidos. El más utilizado es el sólido, que puede ser de nubes o marshmallows (el más fácil de realizar en casa), el americano o extendido, hecho, junto con otros ingredientes, con glicerina, y la pasta de goma o pasta suspiro, que lleva goma tragacanto para que sea más elástica.
- **Buttercream:** es el frosting más empleado para la decoración de cupcakes, cake pops y cookie pops.
- **Cream cheese frosting o frosting de queso crema:** Se elabora con los mismos ingredientes que el buttercream, pero sustituyendo la nata líquida (crema de leche) por queso crema o de untar.
- **Mazapán:** no es la misma masa que se emplea para elaborar el clásico mazapán –dulce asociado a la Navidad–, sino una más elástica y moldeable, perfecta para hacer figuritas y forrar galletas, tartas, pasteles, etc.

Cake pops

El dulce más fashion

¿Cuál es el dulce más fashion del momento? Sin duda, los cake pops, conocidos también como bizcobolas, bizcoletas, chupetines, *sweest on sticks* o *cake balls*, aunque estos últimos son bolitas de bizcocho sin el palito, como si fueran una trufa. La palabra cake pops viene del inglés 'cake', que significa bizcocho o pastel y 'pops' piruleta. Es decir, se trata de un mini-bizcocho con palito, a modo de piruleta, bañado en chocolate fundido, envuelto con pasta fondant o glaseado.

Básicamente, tan solo necesitamos bizcocho o galletas, crema, chocolate o glaseado y, por supuesto, unos palillos, para elaborar en poco tiempo unos deliciosos cake pops, la golosina de moda, importada de Estados Unidos. El resto dependerá de nuestra creatividad, pues admite multitud de decoraciones, tal y como demuestra su mayor impulsora, Angie Dudley, conocida internacionalmente como Bakerella, en su página web.

Receta básica de cookie pops

- Una vez hecha la masa, es fundamental guardarlas en el frigorífico durante varias horas, antes de darles forma y hornearlas, para que la masa haya endurecido, pues se trabaja mejor.
- Al estirar la masa para cortarlas, debemos dejarla más gruesa de lo habitual para poder insertar más fácilmente el palillo.
- El palillo hay que insertarlo desde abajo, como enroscándolo, hasta unos $2/3$ del diámetro de la galleta para asegurar la estabilidad. Después, reforzaremos la inserción con una porción de masa extra por la parte de detrás para que tenga más firmeza.
- Las cookie pops deben estar bien horneadas, porque corren el riesgo de caerse del palito si están blandas.

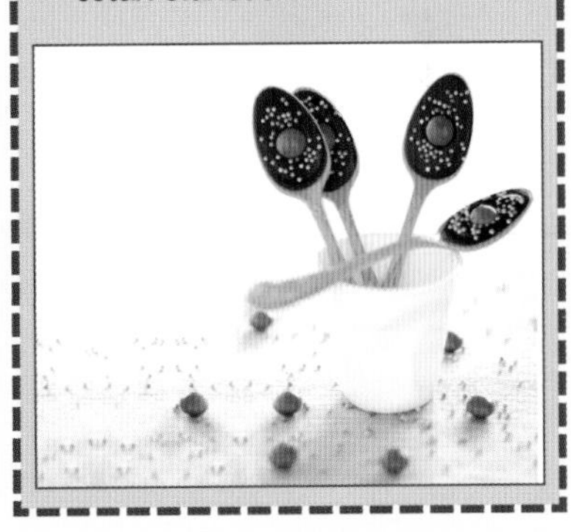

Cookie pops

La galleta más divertida

¿Qué puede haber más divertida y deliciosa que una galleta insertada en un palito? Nos referimos a las cookie pops, que junto a los cake pops son las estrellas de la mini-repostería, que tan de moda se ha puesto con los muffins, los cupcakes, los macarons y los whoopies. Las cookie pops admiten tanta variedad como nuestra imaginación y gusto gastronómico nos permitan. Son ideales tanto para reposteros primerizos como para auténticos chefs de los caprichos dulces. Les encantan a niños y mayores, y ponen el toque chic y original en cualquier celebración. Además, son muy fáciles de preparar, siempre que se sigan unas normas básicas.

Tartas decoradas

Un mundo de color

LAS TARTAS O CAKES DECORADAS CON BUTTERCREAM, GLASEADOS O FONDANT SON EL SUEÑO DE TODOS LOS AMANTES DE LA REPOSTERÍA, YA QUE SON EL TOP DE LA CREATIVIDAD Y DEL BUEN HACER REPOSTERO. CONOCIMIENTO, HABILIDAD, TÉCNICA E IMAGINACIÓN SON INGREDIENTES TAN ESENCIALES COMO UNA BUENA HARINA Y REQUIEREN TIEMPO DE PRÁCTICA, AUNQUE TAMBIÉN SE PUEDE COMENZAR EN ESTE PRECIOSO ARTE CULINARIO POR PROYECTOS MÁS PEQUEÑOS Y SENCILLOS ANTES DE EMBARCARNOS, POR EJEMPLO, EN UNA ESPECTACULAR TARTA DE BODAS.

Las tartas fondant nos trasladan mágicamente a un taller veneciano, donde las filigranas compiten con los encajes y las decoraciones más espectaculares. Colores y texturas se funden con delicados y sorprendentes sabores: todo tiene cabida, siempre que impere el buen gusto.

Paso a paso

1. **Una vez elegida la tarta** que vayamos a elaborar, el día anterior haremos los bizcochos que necesitemos y los taparemos con papel film para que no se resequen. Por otro lado, prepararemos el relleno, teniendo en cuenta que hay que dejarlo fuera de la nevera 12 horas antes de la decoración de la tarta y que tiene que tener la textura de la crema de chocolate. Además, prepararemos el almíbar y tendremos a mano la base donde vayamos a colocar la tarta.

2. **Metidos de lleno en la decoración**, en primer lugar cortaremos –con un cuchillo de sierra o un jamonero– la parte de arriba del bizcocho, si no nos ha quedado lisa, y lo partiremos por la mitad. Posteriormente, tornearemos el bizcocho con la forma que necesite. Es conveniente que utilicemos un cartón redondo en la base para manejar mejor la tarta.

3. **Después de empaparlo con el almíbar** y rellenarlo al gusto, cubriremos el bizcocho, por encima y por los laterales, con una crema espesa, pero dando una capa muy fina y lisa, lo suficiente para que se pueda pegar bien el fondant.

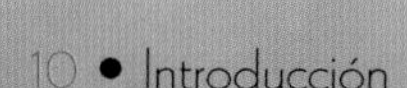

4. **A continuación, estiramos el fondant,** calculando la superficie del bizcocho que vayamos a cubrir. Cuando tengamos ya estirada la plancha de fondant a la medida que necesitemos, la enrollaremos con cuidado sobre el rodillo, colocando el bizcocho debajo de él e iremos desenrollando el rodillo cubriendo así todo el bizcocho.

5. **Por último, con las manos, iremos sellando** la plancha de fondant al bizcocho, cortando el sobrante con un cuchillo y remetiéndolo con ese mismo cuchillo. Tras eliminar el sobrante, comenzaremos con los detalles decorativos.

Equipo

Para la preparación de cake pops, cookie pops y tartas fondant necesitaremos:

Balanza: imprescindible para medir con precisión los ingredientes.
Bandejas redondas para tartas: tambor de 12 mm (tablero grueso giratorio que se emplea para trabajar con la tarta y también como expositor), tablero de aglomerado (son tableros muy duros, que suelen ser del mismo tamaño que la tarta. Se colocan debajo de esta para actuar como barrera y darle estabilidad) y bandejas de cartón para sostener la tarta.
Batidora eléctrica: podemos utilizar una batidora eléctrica de sujeción manual para preparar los bizcochos, pero no tiene la suficiente potencia para batir un glasé real o un fondant, para esa labor usaremos un robot de cocina o una amasadora.
Blondas impermeables: están tratadas para que sean impermeables a las grasas, de modo que no se llenan de manchas ni se desintegran en contacto con la humedad.
Boquillas para la manga pastelera: de diferentes tamaños y formas.
Cazos y ollas: para disolver las coberturas al baño María.
Cernidores o tamizadores: para tamizar los ingredientes secos.
Clavijas, espigas y anclajes: se emplean junto con los tableros o bandejas para sostener tartas de varios niveles.
Colador finísimo: para colar purés de frutas con semillas y mantequilla clarificada y para tamizar la harina.
Cortadores: metálicos, de plástico o de silicona, para cortar la masa o la pasta fondant.
Cucharas: de madera, plástico o silicona, nos permiten mezclar los ingredientes de las preparaciones.
Cucharas medidoras: para medir los ingredientes con precisión.
Cuchillo largo de sierra: para nivelar un bizcocho o cortarlo horizontalmente.
Escuadra: para alinear con precisión.
Espaciadores: de 1,5 mm y 5 mm para desplegar la pasta fondant.
Espátulas de silicona o lenguas: tienen la base flexible y nos permiten retirar los restos de la preparación adheridos a los bordes de los recipientes.
Espátulas de metal: se utilizan para untar, esparcir y emparejar rellenos y coberturas. La hoja puede tener varias medidas.
Espátula de repostería: espátula metálica de hoja larga (10 cm) y mango de madera, para nivelar tartas y tallar figuras y formas.

Recetas básicas

Si bien los cake pops, las cookie pops o las tartas decoradas admiten una gran variedad de ingredientes y preparaciones, hay ciertas cremas, rellenos, fondants y bizcochos que suelen ser los más habituales en la elaboración de la repostería creativa.

Cremas y rellenos

CREMA DE MANTEQUILLA (BUTTERCREAM)

Ingredientes: 125 g de mantequilla a temperatura ambiente, 250 g de azúcar glas y una cucharadita de esencia de vainilla. **Preparación:** echamos la mantequilla en el bol de la batidora y batimos, agregando al mismo tiempo el azúcar glas. Por último, añadimos la esencia de vainilla y mezclamos. **Truco:** a la crema de mantequilla también se le puede añadir algún licor, cacao o café instantáneo, así como puré o salsa de frutas (naranja, fresón, frambuesas, piña, albaricoque, etc.).

CREMA DE LIMÓN (LEMON CURD)

Ingredientes: 200 g de azúcar, ralladura de 2 limones, 100 g de mantequilla, 3 huevos y 200 ml de zumo de limón. **Preparación:** en un cuenco mezclamos el azúcar con la ralladura de limón y añadimos la mantequilla. Calentamos al baño María, a fuego suave y moviendo con unas varillas hasta que la mantequilla se funda. Aparte, batimos ligeramente los huevos, mezclamos con el zumo de limón e incorporamos a la mezcla de mantequilla y azúcar. Cocemos al baño María 10-13 minutos, removiendo de vez en cuando. Retiramos del fuego y guardamos en tarros de cristal herméticos. **Truco:** hemos de conseguir que la crema espese y tenga la consistencia cremosa de unas natillas.

CREMA DE CHOCOLATE

Ingredientes: 200 g de chocolate negro o blanco para fundir, una cucharada de mantequilla y 2 cucharadas de licor. **Preparación:** troceamos el chocolate, echamos en un cazo y lo fundimos a fuego lento. Añadimos la mantequilla y removemos constantemente con cuchara de madera hasta que se derrita en el chocolate caliente. Agregamos el licor y mezclamos hasta que se integre. Retiramos del baño María y dejamos enfriar antes de emplearlo para relleno o decoración. **Truco:** la crema de chocolate se puede saborizar con licores diferentes (frutal, de anís, de café, de huevo, de vino, etc.), o también, con ron, brandy, almíbar de frutas en conservas, café, vainilla, etc.

MERENGUE ITALIANO

Ingredientes: 175 g de azúcar, 60 g de agua, 4 claras y ½ cucharadita de té de cremor tártaro. **Preparación:** en un cazo calentamos las ¾ partes del azúcar con el agua, moviendo hasta que se disuelva. Dejamos de remover y bajamos el fuego al mínimo. En otro recipiente batimos las claras hasta que queden espumosas, añadimos el cremor tártaro y seguimos batiendo hasta que salgan picos firmes. Poco a poco añadimos el resto del azúcar, hasta que de nuevo se formen picos firmes. Subimos el fuego y cocemos el almíbar hasta que alcance el punto de bola (120 °C). Retiramos del fuego y agregamos lentamente sobre las claras, sin dejar de batir hasta que el merengue se enfríe y adquiera un punto firme. **Truco**: para que el merengue italiano quede perfecto debemos utilizar claras a temperatura ambiente y asegurarnos de que el recipiente donde las vayamos a batir esté libre de cualquier partícula de materia grasa.

Herramientas de modelado o estecas: son fundamentales para modelar la pasta fondant. Hay cuchillitos, vainillas, bolillos (buriles) y varillas (ruleteros), de distintos tamaños.
Jeringa de almíbares: jeringuilla de plástico sin aguja que se emplea para repartir el almíbar en los bizcochos.
Manga pastelera: de tela, plástico o desechables, para aplicar el glaseado o diferentes cremas.
Medidores: para medir tazas y cucharadas de manera uniforme, pues no todas las cucharas o tazas tienen la misma medida.
Mini moldes de silicona individuales: sirven para hornear los cake pops, dando a la masa una forma determinada.
Moldes para hornear: los hay de acero, aluminio, teflón y silicona, de diferentes formas y tamaños.
Nivelador de tartas: para asegurarnos de que las clavijas de las tartas de varios pisos están verticales y la parte superior de la tarta horizontal.
Palillos de madera: se usan como marcadores y para transferir pequeñas cantidades de pasta fondant y glasé real.
Palitos de plástico o bambú: para insertar los cake pops y cookie pops.
Papel para horno: sirve para cubrir las placas de horno y evitar que las piezas se peguen.
Pinceles: de diferentes tamaños, para puntear, pintar y quitar el polvo/migas.
Placa de horno: para hornear bizcochos y galletas.
Rallador: para rallar los cítricos.
Recipientes para mezclar: de diferentes tamaños y materiales, además de servirnos para reservar los ingredientes que vamos a emplear, también se utilizan para realizar las mezclas o derretir los baños en el microondas.
Rodillo de amasar: podemos encontrarlos en diferentes materiales, pero lo esencial es que su superficie sea totalmente lisa y no se adhiera a la masa.
Suavizador: espátula grande con mango que sirve para alisar y darle un acabado uniforme al fondant o la pasta de goma.
Soporte de corcho blanco: para clavar los cake pops o cookie pops mientras se van secando.
Tabla de cocina antiadherente: para trabajar y extender la masa.
Tijeras: para cortar plantillas y recortar trozos de pasta, dándole una forma determinada.
Tiras Magic-cake: conocidas también como «tiras para la cocción uniforme», estas tiras metálicas son útiles para conseguir bizcochos planos, que se forran y decoran muy bien.

Otros baños y coberturas

Además del fondant, el ganache y la pasta goma, estas coberturas son de las más conocidas.

GLASEADO

Ingredientes: 200 g de azúcar glas, 105 ml de agua hirviendo y unas gotas de esencia de vainilla.

Preparación: poner todo en un cazo, a fuego lento y revolver. Que no haya grumos.

Truco: básicamente hay dos tipos de glaseado: el royal icing de merengue (que se endurece) y otro más blando, el frosting o icing, que no lleva clara de huevo y es más cremoso. El glaseado sencillo tiene un mejor sabor y es más cremoso. Es ideal para decorar tartas, pastelitos, cupcakes o muffins.

GLASÉ REAL (ROYAL ICING)

Ingredientes: 2 claras de huevo, 330 g de azúcar glas y 2 cucharaditas de zumo de limón.

Preparación: batimos las claras de huevo a punto de nieve junto con el zumo de limón. Añadimos el azúcar poco a poco y mezclamos bien.

Truco: el glasé real o royal icing es el mejor glaseado para galletas, ya que es más duro y más fácil de usar en decoraciones con muchos detalles, pero debemos usarlo inmediatamente o guardarlo en un tupperware o en un recipiente hermético, ya que se pone muy duro si se deja al aire. Si lo preferimos un poco más líquido, podemos añadirle unas gotitas de agua pero poco a poco, pues cambiará rápidamente la textura del glaseado.

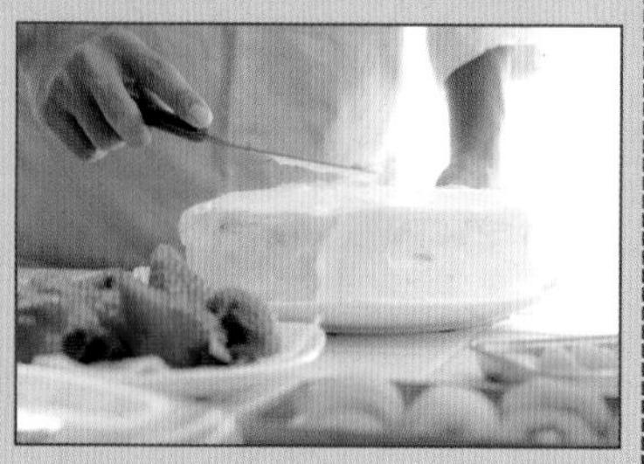

Baños y coberturas

FONDANT

Ingredientes: 100 ml de agua, 2 ½ cucharadas de gelatina sin sabor, 6 cucharadas de aceite vegetal hidrogenado, mantequilla o margarina, 3 cucharadas de glucosa y 2 kg de azúcar glas. **Preparación:** ponemos el agua en un recipiente y espolvoreamos la gelatina en forma de lluvia. Calentamos al baño María hasta que se disuelva bien. Agregamos la grasa y la glucosa y retiramos del fuego cuando todos los ingredientes estén disueltos. Disponemos el azúcar glas sobre una superficie formando una corona y vertemos el líquido en el centro. Incorporamos el azúcar por los bordes, formamos un bollo y amasamos hasta conseguir una masa elástica. **Truco:** si no la vamos a utilizar de inmediato, añadiremos solo la mitad del azúcar y guardaremos en un recipiente hermético. Posteriormente, en el momento de amasar, incorporaremos el resto del azúcar. Esta pasta puede conservarse hasta un año en el congelador y tres meses en el frigorífico.

GANACHE DE CHOCOLATE

Ingredientes: 300 ml de crema de leche y 75 g de chocolate picado. **Preparación:** vertemos la crema en un cazo y llevamos a ebullición. Retiramos del fuego y echamos en un bol sobre el chocolate picado. Removemos hasta que los dos ingredientes estén bien mezclados. **Truco:** tanto si lo utilizamos para bañar una preparación, como un relleno, el ganache debe emplearse cuando aún está templado.

PASTA DE GOMA (MASA ELÁSTICA O PASTA SUSPIRO)

Ingredientes: 1 kg de azúcar glas, una cucharada de goma tragacanto o CMC, una cucharada de manteca vegetal, de 6 a 8 cucharadas de agua y ½ taza de glucosa.

Preparación: cernimos el azúcar con la goma tragacanto, integrando muy bien ambos ingredientes. En un recipiente, mezclamos la glucosa, la manteca y el agua. Metemos en el microondas un minuto, sacamos y removemos bien. Hacemos un hoyo en el centro de la mezcla de azúcar glas y goma tragacanto y echamos en él la mezcla caliente con glucosa. Removemos con una espátula de madera y terminamos de amasar con las manos, hasta que la masa se desprenda. Guardamos en la nevera en una bolsita cerrada unas 24 horas antes de usarla. **Truco:** la pasta de goma es una mezcla de azúcar muy parecida al fondant, solo que al llevar goma tragacanto es más elástica. Se usa para hacer figuritas o flores y decorar las tartas.

Bizcochos de base

Tenemos diferentes opciones de bizcochos a cubrir por fondant, de manera que su sabor ensalce el aroma de la cobertura para satisfacer a todos.

BIZCOCHO RED VELVET

Ingredientes: 280 g de harina repostera, 15 g de cacao en polvo, una cucharadita de levadura química, una cucharadita bicarbonato sódico, ¼ cucharadita sal, 240 g de buttermilk (suero de leche), 2 cucharadas de colorante alimentario rojo, una cucharadita de extracto de vainilla, una cucharadita de vinagre blanco, 125 g de mantequilla en pomada, 275 g de azúcar y 2 huevos.

Preparación: precalentamos el horno a 170 ºC y preparamos tres moldes de 18 cm. engrasados y con papel de hornear en la base. Tamizamos la harina, el cacao en polvo, el polvo de hornear, el bicarbonato, y la sal. Mezclamos el suero de leche (buttermilk) con el colorante rojo, el extracto de vainilla y el vinagre, y reservamos. Batimos la mantequilla con el azúcar, hasta que haya blanqueado y consigamos una mezcla esponjosa. Añadimos los huevos sin dejar de batir. Incorporamos los ingredientes secos en tres veces, y los líquidos en dos veces, comenzando y terminando con los secos. Dividimos la masa entre los tres moldes y alisamos la parte superior de la masa. Horneamos 25-30 minutos, sacamos del horno y dejamos enfriar durante 15 minutos, desmoldamos. Cuando estén fríos, los envolvemos individualmente en papel film y los guardamos en la nevera.

BIZCOCHO MADEIRA SPONGE

Ingredientes: 6 huevos a temperatura ambiente, 300 g de mantequilla a temperatura ambiente, 300 g de azúcar, 450 g de harina, un sobre de levadura química y una pizca de sal.

Preparación: batimos la mantequilla con el azúcar con una batidora de varillas, hasta que crezcan. Incorporamos los huevos uno a uno, sin parar de batir. Cuando los huevos ya están batidos, agregamos la harina tamizada con la levadura y la sal, cucharada a cucharada. Forramos un molde redondo con papel de hornear –el fondo y los laterales bien altos– y vertemos en él la mezcla. Horneamos durante 90 minutos, a 160 ºC (como este bizcocho es muy alto, tiene que quedar bien cocido por el centro).

BIZCOCHO DE LIMÓN

Ingredientes: 6 huevos, azúcar (el peso de 5 huevos), 100 g de mantequilla, la ralladura de 2 limones, el zumo de un limón, harina (el peso de los 6 huevos) y un sobre de levadura en polvo.

Preparación: separamos las claras de las yemas, montamos a punto de nieve junto con un tercio del azúcar, y reservamos. Batimos las yemas con el resto del azúcar hasta que queden blanquecinas, agregamos la mantequilla en pomada y la ralladura y el zumo de limón, y batimos hasta integrar los ingredientes. Agregamos la harina con la levadura y mezclamos, sin batir demasiado. Añadimos parte de las claras montadas y, cuando se haya soltado un poco la masa, agregamos el resto. Vertemos en un molde engrasado y horneamos, a 160 ºC.

BIZCOCHO DE VAINILLA

Ingredientes: un huevo, una pizca de sal, 60 g de mantequilla a temperatura ambiente, 100 g de azúcar, 2 cucharaditas de esencia de vainilla, 100 g de harina, 3 g de levadura en polvo, 20 ml de vino dulce o Moscatel y 40 ml de leche entera.

Preparación: separamos la clara de la yema, añadimos la pizca de sal a la clara y montamos a punto de nieve. Aparte, batimos la mantequilla junto con el azúcar y la esencia de vainilla. Añadimos la yema de huevo, mezclamos y reservamos. Por un lado mezclamos la harina con la levadura y, por otro, el vino dulce con la leche. A la mezcla con la mantequilla le vamos añadiendo un poco de harina y otro poco de leche, hasta terminarlo y mezclarlo. Agregamos la clara montada a la mezcla que hemos ido preparando y mezclamos. Echamos en un molde untado con mantequilla y horneamos, a 180 ºC durante 30-35 minutos.

BIZCOCHO GENOVÉS

Ingredientes: 4 huevos, 150 g de azúcar y 150 g de harina.

Preparación: batimos los huevos con el azúcar hasta que doblen su volumen, al baño María. Cuando los huevos están bien montados, añadimos la harina e incorporamos sin que se baje la masa. Vertemos en un recipiente untado con mantequilla y espolvoreado con harina, y horneamos a 160 ºC. Este bizcocho se puede hacer más o menos grande, siempre que el peso de la harina más el azúcar sea la mitad del peso de los huevos.

Bizcochos

Los bizcochos se pueden dividir en dos grandes grupos: los bizcochos ligeros y por otro lado los bizcochos pesados. Aunque hay quien hace más separaciones, diferenciando en cuatro grandes grupos: los bizcochos cocidos al vapor, los bizcochos superligeros, los bizcochos ligeros y los bizcochos pesados. Veamos algunos.

BIZCOCHO ANGEL FOOD

Ingredientes: 125 g de harina, 90 g de azúcar glas, 12 claras de huevo, ¼ cucharadita de sal, una cucharadita de cremor tártaro, 160 g de azúcar blanquilla y una vaina de vainilla. **Preparación:** en un cuenco, tamizamos la harina con el azúcar glas, para que la mezcla quede bien aireada, y reservamos. Batimos las claras hasta que estén espumosas, añadimos la sal y el cremor tártaro, y continuamos batiendo hasta que se hagan picos suaves. Entonces, vamos añadiendo el azúcar blanquilla, poco a poco, y las semillas de la vainilla. Cuando el merengue esté firme, agregamos la mezcla de harina y azúcar en tres tandas. Rociamos la mezcla de harina sobre las claras y, con la ayuda de una espátula, mezclamos con movimientos envolventes. Vertemos en un molde sin engrasar (mejor si tiene chimenea) y horneamos durante 55 minutos, a 175 ºC. Sacamos del horno y ponemos a enfriar boca abajo, apoyando los bordes del molde sobre un soporte.

BIZCOCHO DE CHOCOLATE

Ingredientes: 200 g de cacao puro, 250 g de harina de repostería, un sobre de levadura en polvo, una cucharadita de canela en polvo, 180 g de azúcar, 4 huevos medianos, 200 g de mantequilla a temperatura ambiente, 150 ml de vino tinto. **Preparación:** pasamos por el tamiz la harina, la levadura, el cacao y la canela, y reservamos. En un bol, batimos los huevos con el azúcar, hasta que doblen el volumen, y agregamos la mantequilla en pomada y el vino, y seguimos batiendo hasta conseguir una mezcla homogénea. Incorporamos los ingredientes tamizados y mezclamos con una pala, sin mover demasiado. Vertemos la mezcla en un molde engrasado con mantequilla y horneamos a 180 ºC. Sacamos del horno y desmoldamos sobre una rejilla.

BIZCOCHO MALTÉS

Ingredientes: 3 huevos, 125 g de azúcar, 60 g de fécula de patata, 125 g de almendras ralladas, la ralladura y el zumo de una naranja, mantequilla para engrasar el molde, azúcar glas para decorar. **Preparación:** batimos las yemas con el azúcar hasta que queden esponjosas, añadimos la fécula de patata, las almendras y la ralladura de la naranja, y mezclamos hasta conseguir una mezcla homogénea, que resulta un poco densa, pero que se aclara enseguida cuando añadimos el zumo de naranja. Por último, incorporamos las claras batidas a punto de nieve, con movimientos envolventes, para que no se baje la masa. Vertemos en un molde engrasado con mantequilla y horneamos a 180 °C, hasta que esté cocido.

BIZCOCHO DE DULCE DE LECHE

Ingredientes: 75g de mantequilla, 200g de dulce de leche, 3 huevos grandes, 250 g de harina, 10 g de levadura química, 125g de nata y 100 g de azúcar glas.

Preparación: mezclamos la mantequilla con el dulce de leche en un bol al baño María. Añadimos los huevos y mezclamos de nuevo. Incorporamos la harina y la levadura –unidas y tamizadas previamente– y mezclamos hasta obtener una mezcla homogénea. Agregamos la nata y, por último, el azúcar y mezclamos todo. Vertemos en un molde engrasado y horneamos 40 minutos, a 170 °C.

BIZCOCHO CUATRO CUARTOS

Ingredientes: 45 g de leche, 3 huevos grandes, una cucharadita de esencia de vainilla, 150 g de harina de repostería, 150 g de azúcar, una cucharadita de levadura en polvo, una pizca de sal y 180 g de mantequilla a temperatura ambiente.

Preparación: en un bol batimos la leche con los huevos y la esencia de vainilla. En otro recipiente, mezclamos la harina, el azúcar, la sal y la levadura. Añadimos la mantequilla y la mitad de la mezcla de los huevos, mezclamos bien y añadimos el resto de la mezcla del huevo. Mezclamos hasta que estén todos los ingredientes bien incorporados y horneamos 30 minutos a 180 °C.

BIZCOCHO DE NARANJA

Ingredientes: 2 huevos, 150 g de azúcar,100 g de mantequilla, media cucharada de ralladura naranja, 73 g de zumo de naranja, 188 g de harina de repostería y una cucharada de levadura en polvo.

Preparación: batimos los huevos con el azúcar hasta que estén espumosos y hayan blanqueado. Añadimos la mantequilla y la ralladura y el zumo de naranja y volvemos a batir. Incorporamos la harina tamizada junto con la levadura y mezclamos hasta que quede una mezcla homogénea. Echamos en un molde untado con mantequilla y horneamos de 35 a 45 minutos.

Técnicas decorativas

AUNQUE A PRIMERA VISTA PUEDA PARECERNOS COMPLICADO, LA REALIZACIÓN DE MOTIVOS DECORATIVOS PARA DECORAR TARTAS O GALLETAS SOLO REQUIERE PACIENCIA, MUCHA PRÁCTICA, Y EMPLEAR LA PASTA Y LOS MOLDES ADECUADOS. HABITUALMENTE, PARA MODELAR CUALQUIER MOTIVO, DESDE FIGURAS A BLONDAS DE ENCAJE, SE UTILIZA FONDANT CON CMC/TYLOSA (LA CANTIDAD DE CMC DEPENDERÁ DEL CALOR DE NUESTRAS MANOS O DE LA TEMPERATURA DEL LUGAR DONDE ESTEMOS TRABAJANDO LA PASTA) O PASTA DE GOMA (IDÓNEA PARA LA REALIZACIÓN DE FLORES O DETALLES MUY FINOS).

Tanto si el fondant lo preparamos nosotros mismos, como si lo compramos ya hecho, antes de empezar a modelar siempre hay que amasarlo de nuevo, pues el calor de las manos y el trabajo hacen la masa más blanda y maleable, y es más fácil trabajar con ella y prevenir también grietas y roturas. Y si la pasta está demasiado seca (empieza a agrietarse al formar una pelota), podemos añadir un poco de Crisco (manteca vegetal) o más fondant (sin CMC). Con cuatro técnicas básicas cualquier acabado es posible.

Diseño sobre acetato o papel vegetal

Una vez dibujada la plantilla en papel vegetal o en acetato del diseño elegido: copo de nieve, osito con pañuelo, redondeles, tiras en zigzag o arbolitos de invierno, la ampliaremos hasta conseguir el tamaño deseado y la trasladaremos sobre el fondant, que previamente habremos estirado sobre una tabla o encimera engrasada, y la recortaremos. Una vez recortado el diseño, lo trataremos de manera individual según nuestras necesidades.

En el **copo de nieve**, marcaremos las hendiduras, comenzando por las líneas centrales, desde el centro hacia los extremos, y terminaremos con las líneas pequeñas que las cortan, teniendo la precaución de no pinchar demasiado con el buril para que no se nos corte la masa (solo ha de ser una pequeña hendidura). En el **conjunto de redondeles** –en dos tonos de azul– simplemente, hemos de marcar los diferentes redondeles sobre el fondant estirado y superponerlos unos encima de otros –pegándolos con piping gel o glasé– y, luego, sobre la tarta. En cuanto a las **tiras en zigzag,** recortamos el trazado de «sierra» impreso sobre la tira de la misma medida de la tarta.

Decorar con volúmenes

La decoración de pasta goma o fondant con relieve exige partir de figuras en tres dimensiones (círculos, conos, cilindros...) o de superposición de tiras para dar profundidad al diseño.

Para la realización de los **ratoncitos** modelaremos primero una bola de pasta de goma para formar el cuerpo, dándole forma como si fuera una pera. A continuación haremos dos bolitas para formar las orejas y las aplastaremos con una esteca redondeada para darle la forma y las pegaremos al cuerpo con un pincel humedecido en agua. Por último, haremos un canutillo muy fino para realizar el rabo y unas bolitas para los ojos y el hocico. Para la realización de **juguetes en relieve** o **cubos de niños** hay que recortar la masa –por duplicado– siguiendo la plantilla y pegarlas entre sí. Después, una vez decoradas –en esta ocasión lo hemos hecho con glasé real en varios colores– las aplicaremos, con un pincel humedecido en agua, sobre la tarta o pastel.

Decorar calcando

Osito

Para la realización del osito, en primer lugar calcaremos en papel vegetal o acetato todos los círculos que aparecen en la plantilla (cara, cuerpo, manos, pies y orejas) para luego trasladarlo sobre el fondant –en tono chocolate– y cortarlo a la medida. Una vez realizadas las plantillas, las pondremos sobre el fondant estirado y recortaremos la masa con una esteca (cuchillito o buril), comenzando por el cuerpo y terminando por las piezas más pequeñas. Con el fondant –azul y malva– cortaremos el pañuelo, que será lo primero que peguemos en el cuerpo del osito, para luego poner encima la cabeza, sobre la que, previamente, habremos situado las orejas, los ojos, la nariz y la boca (realizados con fondant negro). Después, terminaremos colocando las manos y los pies, sobre los que habremos pegado unos redondelitos de fondant crema.

Arbolitos

Primero calcaremos en acetato el dibujo del arbolito. Una vez hecha la plantilla en acetato, la imprimiremos sobre el fondant estirado y recortaremos el sobrante con un cuchillo muy afilado. Aparte, haremos también con fondant el soporte sobre el que sujetaremos el arbolito a la tarta (ver dibujo).

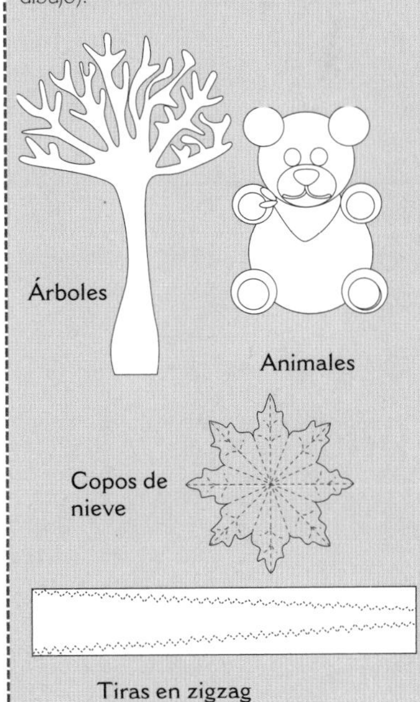

Trabajar con tiras

Bandas en relieve
La elaboración del Skyline de Nueva York es similar a la de las blondas o encajes, pues se trata también de una tira de fondant sobre la que hemos impreso la visión de los rascacielos de la city (ver plantilla). Para su realización, en primer lugar calcaremos en acetato el dibujo de la plantilla. Después, lo recortaremos y lo imprimiremos sobre el fondant extendido. Por último, marcaremos las ventanas y puertas con un moldecito que podemos hacer con un trocito de goma o silicona (también podemos emplear madera o metal) para que nos queden todas iguales.

Blondas y encajes
Las tartas decoradas con motivos vintage aportan un toque de glamour exquisito y están de plena moda. Para su realización –además de las blondas de repostería que podemos comprar ya hechas– se pueden emplear elementos tan diferentes como tiras de ganchillo o encajes de bolillo, que se incrustan en la masa para darle forma, moldes de silicona, cortantes o plantillas. El primer paso, antes de cortar las tiras de fondant para realizar las blondas, será medir la longitud de las mismas sobre la tarta donde las vayamos a aplicar. Después, estiraremos el fondant –dejando una capa fina– y lo colocaremos sobre el molde de encaje, presionado suavemente para que se impriman los dibujos del encaje. A continuación, despegaremos el fondant del molde y, si queremos, podemos remarcar los relieves y dibujos con un palito de madera o una esteca. Después, recortaremos el sobrante y, por último, pegaremos en la tarta con un pincel humedecido en agua o con piping gel.

Tiras fruncidas
Para realizar los volantes, en primer lugar cortaremos 5 tiras de pasta de goma : 1 blanca, 2 rosas palo, 1 rosa y 1 fucsia. A continuación, con un cortante de ondas, haremos los bordes de las tiras. Después, frunciremos la masa y presionaremos los pliegues entre sí hasta que queden bien unidos. Cuando ya estén todas las tiras hechas, las superpondremos unas encima de otras y, por último, las fijaremos a la tarta.

Decorar con flores

1. **Para la realización de una flor simple,** hacemos un pequeño cono y lo ahuecamos en el centro con un palillo. Después, cortamos los pétalos con una tijera y, por último, presionamos cada pétalo para que quede bien fino.

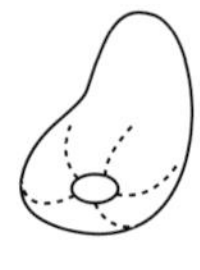

Flor simple

2. **Estiramos la pasta de goma** y cortamos una flor (utilizando un cortador). Afinamos los pétalos con un bolillo y enrollamos la pieza para formar el centro de la rosa Cortamos otra flor de pasta de goma y colocamos la segunda vuelta de pétalos alrededor del centro, fijándolos con un pincel humedecido en agua.

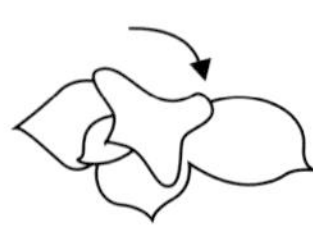

Rosas

3. **Con el cortador en forma de flor** marcamos la pasta de goma y recortamos. Después, con una esteca con bolita marcamos las hendiduras en cada una de las hojitas. Por último, con un buril finísimo hacemos las incrustraciones y la rematamos con una bolita en el centro.

Azucenas

4. **Una vez estirada la pasta de goma** (también se puede emplear fondant), la recortamos con el cortador floral y marcamos todas las hojitas con un buril de punta extra fina. Por último, pegamos en el centro una bolita aplastada para que forme el botón de la flor.

Margaritas

La unión de bizcochos

Bebé

Como explicamos en la receta correspondiente (págs. 136-137), para la realización de esta «tarta-bebé» hemos de elaborar tres bizcochos de diferentes tamaños –cuerpo, cara y brazos– que posteriormente se cubren con fondant. Utilizaremos las plantillas que se adjuntan –dibujadas en papel vegetal– para recortar, en primer lugar, los bizcochos, dándoles la forma redondeada, y posteriormente, el fondant (color crema), teniendo en cuenta que hemos de cortar una capa de pasta lo suficientemente grande para que cubra, de una sola vez, la cara, el cuerpo y los brazos, pues si lo hiciésemos por trozos se notarían las juntas. Lo que sí cortaremos siguiendo estrictamente la plantilla será el pañal amarillo. En cuanto a los pies, calcaremos la plantilla y la recortaremos en el fondo, añadiéndole después los deditos, que son simplemente unas pequeñas bolitas. Por último, para realizar las orejas hacemos unas bolitas de fondant, las aplastamos ligeramente y con un pequeño buril marcamos las hendiduras. Y para el pelo, haremos un canutillo de fondant y le daremos la forma tal como se aprecia en la plantilla.

CAKE POPS, DELICIOSAS PIRULETAS DE BIZCOCHO

FÁCILES DE PREPARAR, PARA ELABORAR LOS DELICIOSOS CAKE POPS –LA GOLOSINA DE MODA, IMPORTADA DE ESTADOS UNIDOS– TAN SOLO NECESITAMOS UNOS INGREDIENTES BÁSICOS: BIZCOCHO, GALLETAS O CEREALES, UNA CREMA PARA DAR LA TEXTURA JUSTA Y CHOCOLATE O GLASEADO PARA LA COBERTURA, ADEMÁS DE COLORANTES ALIMENTARIOS, PALILLOS E IMAGINACIÓN. EL RESULTADO, ADEMÁS DE ESTAR RIQUÍSIMO, ES VISUALMENTE ESPECTACULAR.

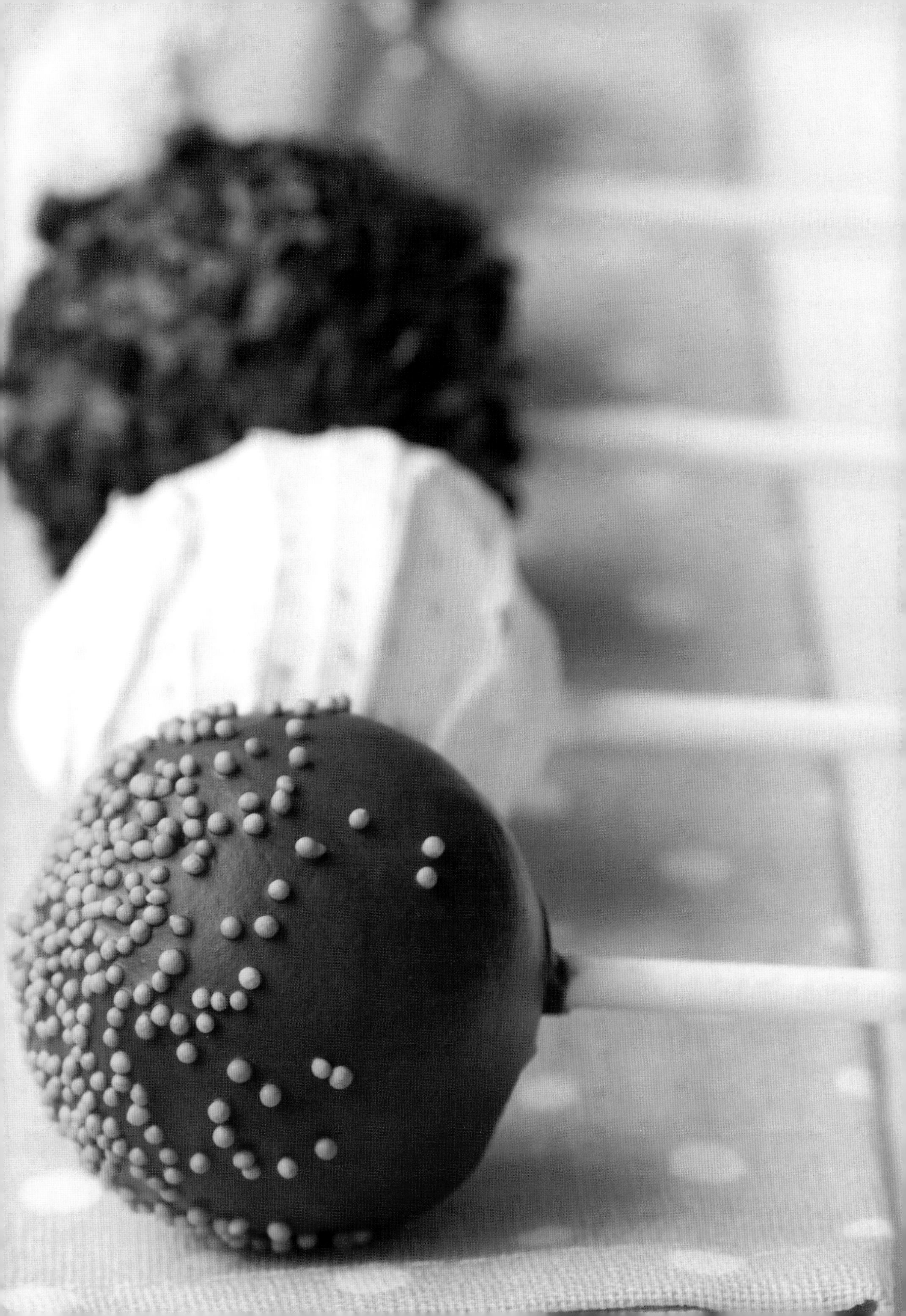

ANTOJITOS DE FRESA

UNIDADES: 12 · TIEMPO DE ELABORACIÓN: 1 HORA Y 30 MINUTOS · DIFICULTAD: MEDIA

INGREDIENTES

150 g de bizcocho Red Velvet
150 g de crema de mantequilla (buttercream)
Un cuenco pequeño de baño de chocolate blanco
Un cuenco de glasé real (royal icing) en blanco y otro cuenco en rosa
Un paquete de Candy Melt's blanco
Un paquete de Candy Melt's rosa
Virutas de chocolate coloreadas en tono rosado

elaboración

Desmenuzamos el bizcocho hasta formar migas finas. Echamos en un cuenco y mezclamos bien con la crema de mantequilla. Modelamos con la masa obtenida bolitas, ponemos en una placa o fuente –cubierto el fondo con papel encerado– y guardamos en la nevera durante una hora, como mínimo, para que solidifiquen. Derretimos el chocolate al baño María o en el microondas. Sumergimos la punta de un palillo de plástico en el chocolate, insertamos en las bolitas y dejamos que solidifiquen.

Pasamos los cake pops por el glaseado, retirando el exceso de baño con pequeños golpecitos de la mano libre sobre el palillo. Después, los insertamos sobre una base de corcho blanco o una bandeja especial para cake pops y dejamos que solidifiquen. Hacemos los corazoncitos con la pasta de Candy Melt's y pegamos con piping gel (o con un pincel con un poco de agua) en varios de los pop cakes, decorando el resto con las virutas coloreadas. Colocamos los cake pops en un jarrón, pinchándolos en un trocito de corcho blanco, y finalizamos la decoración atando un lazo rosa.

SUGERENCIA

En lugar de las pastillas de Candy Melt's podemos realizar los corazoncitos utilizando fondant extendido, que podemos preparar nosotros mismos y colorear en el tono que deseemos o comprar corazoncitos de caramelo tipo topping.

AZÚCAR DE ÁNGELES

UNIDADES: 12 · TIEMPO DE ELABORACIÓN: 1 HORA Y 40 MINUTOS · DIFICULTAD: MEDIA

INGREDIENTES

150 g de bizcocho de dulce de leche
150 g de crema de limón (lemon curd)
Un cuenco pequeño de chocolate blanco para fundir
Un cuenco de glasé real (royal icing) en blanco y otro cuenco en rosa
Virutas rosas y blancas
Pasta fondant para realizar las florecillas
Piping gel

elaboración

Partimos el bizcocho con las manos hasta que quede desmenuzado. Ponemos en un bol y mezclamos con la crema de limón. Con esta masa hacemos pequeñas bolas, que pondremos en una fuente de horno, previamente cubierta con papel de hornear, y reservamos en el frigorífico, alrededor de una hora o hasta que hayan endurecido.

Sacamos las bolitas de la nevera e insertamos en cada una de ellas la punta de un palillo de plástico, que previamente habremos sumergido en chocolate derretido, y esperamos a que solidifiquen. Pasamos los cake pops por el glaseado y, retirando cualquier exceso de baño, los insertamos sobre una bandeja especial para pop cakes. Cuando el glaseado esté endurecido, espolvoreamos las virutas por encima de los cake pops, previamente humedecidos con piping gel para que se peguen bien. Hacemos las florecillas con la pasta fondant y pegamos sobre los cake pops. Por último, atamos un lacito en cada palillo y colocamos los cake pops en una fuente.

SUGERENCIA

Si optamos por no envolver los pop cakes en el glaseado, podemos cubrirlos con crema de chocolate blanco y hacer las flores con fondant rosa.

BESOS DE GOLOSINA

UNIDADES: 12 · TIEMPO DE ELABORACIÓN: 1 HORA Y 30 MINUTOS · DIFICULTAD: BAJA

INGREDIENTES

150 g de bizcocho de vainilla •
150 g de crema de chocolate •
Un cuenco de baño de chocolate con leche •
Virutas de chocolate de varios colores

elaboración

Desmigamos el bizcocho y mezclamos bien con la crema de chocolate. Hacemos bolitas con la masa y las guardamos en la nevera durante una hora, aproximadamente, para que solidifiquen.

A continuación, derretimos el chocolate con leche y vamos introduciendo en él cada extremo de los palillos, para clavarlos después en las bolitas que habíamos guardado en el frigorífico.

Con cuidado, introducimos los cake pops –uno a uno– en el baño de chocolate, y teniendo la precaución de que no goteen, los ponemos sobre una base de corcho blanco hasta que hayan solidificado, eliminando cualquier resto. Por último espolvoreamos las virutas por encima de los cake pops y los decoramos con un lazo.

SUGERENCIA

Para pegar las decoraciones de los pop cakes o, simplemente, para darles un toque especial de brillo, podemos emplear piping gel, un gel comestible, transparente y de aspecto gelatinoso, que se emplea en repostería para conseguir diferentes acabados.

SUGERENCIA

Este pop cake es especialmente atractivo para una fiesta de cumpleaños infantil. Cada invitado puede recibir uno con un lazo de distinto color, en lugar de los típicos cucuruchos de golosinas individuales.

BOCADITOS DE CHOCOLATE

UNIDADES: 12 · TIEMPO DE ELABORACIÓN: 1 HORA Y 30 MINUTOS ·

DIFICULTAD: BAJA

INGREDIENTES

150 g de bizcocho de chocolate • 150 g de crema de chocolate •
Un cuenco de baño de chocolate con leche • Un cuenco de baño de chocolate negro •
Virutas y corazoncitos de chocolate de varios tipos

elaboración

Mezclamos el bizcocho desmigado con la crema de chocolate y formamos unas bolitas. Ponemos en una bandeja sobre papel encerado y reservamos en la nevera hasta que hayan endurecido.

Sacamos las bolitas del frigorífico y las insertamos en los palillos que antes habremos sumergido ligeramente en chocolate derretido. Esperamos un poco para que la unión sea firme y bañamos los cake pops en los dos tipos de baño de chocolate, retirando cualquier exceso.

Cuando el baño de chocolate haya endurecido, espolvoreamos los cake pops con las virutas o colocamos los corazoncitos, pegándolos con un pincel humedecido con un poco de agua, glasé o piping gel. Por último, colocamos un trozo de corcho blanco en el interior de un pequeño jarrón e insertamos en él los cake pops, a modo de un arreglo floral.

SUGERENCIA

Conviene que tengamos en casa glasé teñido para agilizar el trabajo. Los colorantes alimentarios especiales para repostería más utilizados son el blanco y el negro o los colores intensos, ya que con ellos podemos realizar múltiples combinaciones.

BROWNIE EN PIRULETAS

UNIDADES: 12 · TIEMPO DE ELABORACIÓN: 1 HORA Y 40 MINUTOS · DIFICULTAD: BAJA

INGREDIENTES

110 g de mantequilla a temperatura ambiente
200 g de azúcar
2 huevos
Esencia de vainilla
125 g de chocolate para fundir
100 g de harina con levadura
Un cuenco de baño de chocolate con leche
Virutas de chocolate blancas y amarillas

elaboración

Para preparar la masa del brownie, batimos la mantequilla con el azúcar hasta obtener una crema, agregamos los huevos, uno a uno, y la esencia de vainilla, y volvemos a batir. Incorporamos el chocolate fundido y, a continuación, la harina. Vertemos la preparación en unos moldes de silicona pequeños y horneamos durante 25 minutos. Sacamos del horno y dejamos que se enfríen.

Insertamos la punta de los palillos –previamente bañada en chocolate fundido– en los mini brownies y dejamos que solidifiquen durante una hora. A continuación, bañamos los cake pops en el chocolate con leche y, retirando el exceso, los ponemos sobre una base hasta que el chocolate haya endurecido. Con la ayuda de un pincel, humedecemos los cake pops con un poquito de agua y espolvoreamos con las virutas de chocolate. Por último, colocamos los cake pops en un jarrón (puede valer otro tipo de recipiente), clavándolos en un trocito de corcho blanco para que no se muevan.

SUGERENCIA

El brownie es un pastel tradicional de la cocina de Estados Unidos que debe su nombre a su color marrón oscuro. El que hemos utilizado para la elaboración de estos pop cakes no lleva nueces, pero el brownie típico sí las incorpora en sus ingredientes. También las podemos utilizar, si antes las molemos.

CAPRICHOS DEL CIELO

UNIDADES: 12 · TIEMPO DE ELABORACIÓN: 1 HORA Y 30 MINUTOS · DIFICULTAD: MEDIA

INGREDIENTES

150 g de bizcocho cuatro cuartos
150 g de crema de limón o lemon curd
Un cuenco pequeño de baño de chocolate blanco
Un cuenco de glasé real (royal icing) de color azul
Piping gel

OPCIONAL

Moldes de papel rizado
Lazos azules

elaboración

Formamos unas bolitas con la masa obtenida al mezclar el bizcocho desmenuzado con la crema de limón y las guardamos en la nevera hasta que hayan endurecido, que será como una hora.

Derretimos el chocolate al baño María o en el microondas. Sumergimos la punta de los palillos en el chocolate fundido y los clavamos en las bolitas que habíamos guardado en el frigorífico para que se endurecieran.

Pasamos los cake pops por el glaseado, retirando el exceso, y reservamos –clavados en una base– hasta que esté endurecido. Podemos jugar con la presentación y colocar los cake pops en moldecitos de papel, boca abajo, decorando cada uno con un lacito.

SUGERENCIA

Si no queremos que el glaseado se nos seque tan rápido (por si tenemos que realizar algún retoque), mientras vamos perfeccionando esta técnica, añadiremos algo de piping gel al icing. De este modo, se consigue prolongar el proceso de secado, lo que dará más tiempo para trabajar el diseño y realizar correcciones.

CARICIAS DE CHOCOLATE

UNIDADES: 12 · TIEMPO DE ELABORACIÓN: 1 HORA Y 30 MINUTOS · DIFICULTAD: MEDIA

INGREDIENTES

150 g de bizcocho de naranja

150 g de crema de mantequilla a la naranja

Un cuenco de baño de chocolate con leche

Glasé real (royal icing) de color blanco y rosa

Virutas de chocolate rosa

Perlitas de chocolate rosa

elaboración

Desmenuzamos el bizcocho y, mezclándolo con la crema de mantequilla, hacemos unas bolitas, que dejaremos endurecer en el frigorífico unos 60 minutos.

Cuando las bolitas hayan endurecido lo suficiente, clavaremos un palillo en cada una de ellas y las bañaremos en el chocolate, dejando que solidifiquen.

Introducimos el glaseado en la manga pastelera, decoramos con él los cake pops y dejamos que endurezca.

A continuación, los humedecemos con un poco de agua o glasé y los espolvoreamos con las virutas. Por último, colocamos una perlita encima de cada uno de ellos y los ponemos en una jarra.

SUGERENCIA

Podemos elaborar un piping gel casero sumergiendo dos cucharadas de gelatina sin sabor en dos cucharadas de agua fría durante cinco minutos para que se disuelva. Después, la derretiremos a fuego suave y sin dejar que hierva le incorporaremos dos tazas de sirope de maíz, removiendo hasta que ligue bien. Dejamos enfriar y guardamos en la nevera (hasta dos meses).

CHOCO GOURMET

UNIDADES: 12 · TIEMPO DE ELABORACIÓN: 1 HORA Y 30 MINUTOS · DIFICULTAD: MEDIA

INGREDIENTES

150 g de bizcocho de chocolate

150 g de crema de mantequilla (buttercream)

Un cuenco pequeño de baño de chocolate blanco

Un cuenco de glasé real rosa

Glasé real (royal icing) color blanco para decorar

elaboración

Una vez desmenuzado finamente el bizcocho, lo mezclamos con la crema de mantequilla y hacemos unas bolitas con la masa, que reservaremos en el frigorífico hasta que se endurezcan (suele pasar una hora). Cuando la masa esté firme, sacamos las bolitas de la nevera y vamos clavando en cada una un palillo, cuyo extremo habremos sumergido antes en un poco de chocolate fundido. Dejamos que solidifiquen y bañamos los cake pops en el glaseado rosa. Retiramos el exceso con pequeños golpecitos e insertamos sobre una base hasta que el glaseado solidifique.

Introducimos el glaseado blanco en la manga pastelera y decoramos con él los cake pops, formando unas pequeñas hojas. Esperamos de nuevo a que el glaseado endurezca.

Por último, colocamos los pop cakes en una cajita de regalo, insertándolos en un trozo de corcho blanco para que no se muevan, y decoramos con lacitos plumeti.

SUGERENCIA

Para evitar que las líneas se partan, no conviene que utilicemos la manga pastelera con el glaseado durante más de 15 minutos, pues el calor de nuestras manos lo alterará y nos dificultará el trabajo. Antes de volver a usar el glasé es necesario batirlo de nuevo.

CRUJIENTE TENTACIÓN

UNIDADES: 12 · TIEMPO DE ELABORACIÓN: 1 HORA Y 40 MINUTOS ·

DIFICULTAD: MEDIA

INGREDIENTES

150 g de bizcocho Madeira • 150 g de crema de limón (lemon curd) •
Un cuenco de baño de chocolate negro • Un cuenco de ganache de chocolate •
Un cuenco de merengue italiano •
Un cuenco de merengue italiano teñido de rosa •
Chispitas o virutas de chocolate de colores para decorar

elaboración

Partimos muy finamente el bizcocho, ponemos en un recipiente y mezclamos con la crema de limón. Modelamos bolitas con la masa obtenida, ponemos en una placa cubierta con papel de hornear y dejamos que endurezcan en el frigorífico durante una hora.

Sacamos las bolitas de la nevera, clavamos en los palillos –antes los habremos sumergido en chocolate fundido– y, cuando estén bien firmes, pasamos unas cuantas por el ganache de chocolate o el chocolate fundido (reservando las otras para envolver con el merengue blanco o rosa).

Dejamos que solidifiquen antes de espolvorearlas con las chispitas o virutas de colores. Por último, colocamos los cake pops en un pequeño jarrón, y decoramos con un lazo.

SUGERENCIA

Cuando bañemos los pop cakes en ganache de chocolate debemos tener la precaución de que la preparación esté aún templada para que los resultados sean óptimos, pues el ganache se endurece enseguida al enfriarse.

DELICIAS QUE ATRAPAN

UNIDADES: 12 · TIEMPO DE ELABORACIÓN: 1 HORA Y 30 MINUTOS ·

DIFICULTAD: BAJA

INGREDIENTES

150 g de migas de sobao pasiego

150 g de crema de chocolate

Un cuenco de baño de chocolate con leche

Virutas de chocolate de colores

Perlitas de chocolate

OPCIONAL

Piping gel

elaboración

Desmenuzamos bien los sobaos hasta formar migas finas y mezclamos con la crema de chocolate. Formamos con la masa unas bolitas y las guardamos en la nevera, durante una hora, como mínimo.

Retiramos del frigorífico las bolitas e insertamos en los palillos, que previamente habremos mojado en chocolate derretido. Pasamos los cake pops por el baño de chocolate y, cuando este se haya secado, los humedecemos con un pincel mojado en agua o piping gel y los espolvoreamos con las virutas de colores. Debemos tener cuidado y que la mezcla de colores resulte armoniosa.

Colocamos los cake pops en una cajita, que elegiremos por su diseño especial. Si es transparente, podemos poner una base de azúcar y la parte superior con perlitas de chocolate o de azúcar. De este modo, los cake pops quedarán bien clavados y mucho más bonitos.

SUGERENCIA

En cocina, y más aún en repostería, las medidas de cada ingrediente son importantísimas para que el resultado sea el deseado. Pero, frecuentemente, las recetas están explicadas con diferentes tipos de medidas como, por ejemplo, en tazas en lugar de en gramos. A tener en cuenta: una taza de harina (140 g), de azúcar (200 g), de mantequilla (225 g) y de líquidos (240 ml).

DÚO INSEPARABLE

UNIDADES: 12 · TIEMPO DE ELABORACIÓN: 1 HORA Y 40 MINUTOS ·

DIFICULTAD: MEDIA

INGREDIENTES

150 g de bizcocho cuatro cuartos • 150 g de crema de mantequilla (buttercream) •
Un cuenco de baño de chocolate blanco • Un cuenco de baño de chocolate negro •
Glasé real (royal icing) blanco para decorar •
Perlitas de chocolate

elaboración

Mezclamos la crema de mantequilla con el bizcocho desmigado y formamos unas pequeñas bolas. Dejamos en el frigorífico una hora para que la masa se ponga más firme. Sacamos las bolitas endurecidas de la nevera y clavamos en cada una de ellas un palillo mojado en chocolate.

Pasamos varios de los cake pops por los dos tipos de baño de chocolate (blanco y negro), retirando el exceso de baño, y mantenemos clavados en una base hasta que el chocolate haya solidificado. Introducimos el glasé real (royal icing) en la manga pastelera y poniendo una boquilla lisa del n.º 2 realizamos las mini perlitas del cake pop femenino. Dejamos que solidifiquen y ponemos entonces las perlitas de chocolate (el collar).

Con un pincel y glasé real decoramos la pechera del cake pop masculino. Después, hacemos la pajarita y los botones con unas gotas de chocolate negro fundido. Dejamos que los cake pops se sequen y decoramos con un lacito blanco.

SUGERENCIA

Siempre es mejor que utilicemos royal icing (glasé real) fresco o recién hecho que uno viejo, pues conserva mejor su forma y es más fácil de manejar y modelar.

EXQUISITA TENTACIÓN

UNIDADES: 12 · TIEMPO DE ELABORACIÓN: 1 HORA Y 40 MINUTOS · DIFICULTAD: MEDIA

INGREDIENTES

150 g de galletas tipo Digestive
150 g de crema de naranja
Un cuenco de baño de chocolate blanco
Un cuenco de baño de chocolate negro
Un cuenco de baño de chocolate con leche
Glasé real (royal icing) blanco para decorar
Perlitas rosas y blancas
Virutas de colores

elaboración

Una vez formadas las bolitas mezclando las galletas trituradas y la crema de naranja, las metemos una hora en el frigorífico para darles consistencia.

Tras sacarlas de la nevera, cuando ya están firmes, insertamos un palillo en cada una y bañamos en chocolate blanco, negro o con leche. Dejamos que sequen bien antes de decorarlas.

Decoramos con las perlitas, las virutas o las pequeñas lágrimas –que podemos realizar con la manga pastelera y la boquilla más pequeña– y colocamos en un vaso ancho de cristal adornado con un gran lazo, de un color que contraste con el marrón o el marfil del chocolate.

SUGERENCIA

Para evitar que el glasé pierda su consistencia es necesario guardarlo en envases herméticos, bien tapados y fuera del frigorífico. Así puede durarnos hasta dos semanas.

FANTASÍA DE AZÚCAR

UNIDADES: 12 · TIEMPO DE ELABORACIÓN: 1 HORA Y 50 MINUTOS · DIFICULTAD: MEDIA

INGREDIENTES

150 g de bizcocho genovés
150 g de crema de limón
Un cuenco de glasé real (royal icing) en azul
Pasta de goma en color rosa
Pasta suspiro (merengue italiano)

elaboración

Una vez elaborados los cake pops, como hemos hecho en otras recetas; es decir, mezclando el bizcocho con la crema y formando bolas que se endurezcan una hora en la nevera, los bañamos en el glasé real y dejamos que se sequen.

Para realizar las pequeñas rosas (ver introducción), estiramos la pasta de goma y cortamos una flor, afinando los pétalos con un bolillo. Después, enrollamos la pieza para formar el centro de la rosa. A continuación, realizamos otra pieza y la colocamos –con los pétalos abiertos–alrededor del centro de la flor anterior, fijándolos con un pincel humedecido en agua. Repetimos de nuevo el paso anterior y formamos la rosa completa.

Por último, pegamos la rosa con glasé en la superficie de los cake pops. Presentamos los cake pops insertados en una taza, que habremos rellenado con pasta suspiro (merengue italiano).

PRESENTACIÓN

Si presentamos un cake pop entero azul y otro con la rosa, daremos la ilusión de que es un capullo abierto y otro cerrado.

SUGERENCIA

Para que la pasta de goma quede bien fina, hay que estirarla en una mesa de mármol (o sobre una tabla de cocina), untada con mantequilla, con el rodillo.

¡FELIZ CUMPLEAÑOS!

UNIDADES: 12 • TIEMPO DE ELABORACIÓN: 1 HORA Y 40 MINUTOS • DIFICULTAD: MEDIA

INGREDIENTES

150 g de bizcocho cuatro cuartos
150 g de crema de mantequilla (buttercream)
Un cuenco de glasé real (royal icing) en naranja
Un cuenco de glasé real (royal icing) en amarillo
Pasta de goma en azul y blanco

OPCIONAL

Piping gel

elaboración

Mezclamos el bizcocho desmenuzado con la crema de mantequilla y rellenamos con la mezcla unos moldecitos rectangulares. Guardamos en la nevera una hora hasta que endurezcan.

Sacamos los moldes del frigorífico, desmoldamos e insertamos los palillos, sujetándolos con chocolate fundido. Dejamos que se fijen bien antes de bañarlos en los dos tipos de glasé. Cuando el glaseado esté seco, pasamos a decorarlos. Para realizar los lacitos, estiramos la pasta de goma y hacemos unas tiras. Envolvemos con ellas los pop-paquetitos, pegándolas al glasé con un poco de agua o de piping gel.

Por último, hacemos unos rollitos muy finos de pasta de goma blanca y azul, y enrollamos alrededor de los palillos de plástico que sujetan los cake pops.

SUGERENCIA

Para modelar podemos utilizar diferentes pastas, como el fondant de nubes, el mazapán y la pasta de modelar o pasta goma. Tanto el fondant de nubes como el mazapán sirven para modelar figuras simples y sin detalles muy longilíneos, pero si queremos conseguir figuras con finos detalles y muy definidos, entonces debemos emplear pasta de modelar o pasta goma.

FILIGRANA DE CROCANTI

UNIDADES: 12 · TIEMPO DE ELABORACIÓN: 1 HORA Y 30 MINUTOS · DIFICULTAD: BAJA

INGREDIENTES

150 g de bizcocho de limón
150 g de crema de limón
Crocanti de almendras picado
Un cuenco pequeño de chocolate blanco fundido

PARA EL CROCANTI

150 g de azúcar
150 ml de agua
30 g de glucosa
100 g de almendras picadas

elaboración

En un recipiente, mezclamos el bizcocho desmenuzado y mezclamos bien con la crema de limón.

Formamos unas bolitas con la mezcla y cubrimos con el crocanti. Reservamos en el frigorífico hasta que endurezcan durante una hora.

Sacamos las bolitas de la nevera e insertamos un palillo de plástico –al que previamente habremos sumergido uno de sus extremos en el chocolate fundido– en cada una de ellas.

Dejamos que se fijen bien los cake pops en los palillos y decoramos con unas cintas o lazos.

SUGERENCIA

Para elaborar el crocanti de almendras ponemos en un cazo el azúcar, el agua y la glucosa y hacemos a fuego fuerte hasta que tome un color oscuro, pero sin que se queme. Retiramos del fuego e incorporamos las almendras, ligeramente tostadas, y mezclamos bien. Volcamos sobre una placa siliconada o sobre mármol aceitado y esparcimos uniformemente hasta que endurezca. Cuando haya endurecido, rompemos en trocitos y picamos.

FLASH DE CHOCOLATE

UNIDADES: 12 • TIEMPO DE ELABORACIÓN: 1 HORA Y 30 MINUTOS • DIFICULTAD: BAJA

INGREDIENTES

90 ml de nata líquida (35% materia grasa) • 90 g de chocolate negro • 20 g de mantequilla • Una cucharada de coñac • 2 cucharadas de cacao en polvo • Un cuenco pequeño de chocolate negro fundido • Virutas de colores

elaboración

En un cazo, ponemos la nata líquida hasta que rompa a hervir. Apagamos el fuego y añadimos el chocolate, removiendo hasta que se deshaga. Añadimos la mantequilla y el coñac y mezclamos hasta conseguir una mezcla homogénea. Cubrimos con papel film y dejamos enfriar antes de meter en la nevera durante una hora.

Pasado ese tiempo, sacamos la masa del frigorífico y formamos con ella unas bolitas. Pasamos por cacao en polvo, previamente tamizado, y clavamos un palillo –sumergidos por la punta en chocolate fundido– en cada uno de los cake pops. Esperamos a que se fijen bien y espolvoreamos por encima las virutas.

GOCE DE COCO

UNIDADES: 12 · TIEMPO DE ELABORACIÓN: 1 HORA Y 50 MINUTOS · DIFICULTAD: MEDIA

INGREDIENTES

100 ml de agua

250 g de azúcar glas

3 gotas de zumo de limón

125 g de coco rallado

250 g de chocolate negro

Pasta de goma o Candy Melt's de color fresa

elaboración

Con el agua, el azúcar y el zumo de limón hacemos un almíbar a punto de hebra. Removemos el almíbar fuera del fuego hasta que se ponga blanco y mezclamos con el coco.

Dejamos que se temple la masa y formamos las bolitas de coco. Guardamos en el frigorífico hasta que hayan endurecido (una hora). Derretimos el chocolate al baño María, dejamos que se enfríe un poco y sumergimos las bolitas pinchadas en un palillo. Esperamos a que se solidifique el chocolate antes de decorar los cake pops.

Extendemos con un rodillo pequeño la pasta de goma y cortamos los corazoncitos. Por último, los pegamos a los cake pops con la ayuda de un pincel humedecido con un poco de agua.

SUGERENCIA

Para saber si un almíbar está a punto de hebra (105 °C) tomamos un poco de almíbar con una cuchara y tomando un poquito de este con los dedos pulgar e índice –que previamente habremos sumergido en agua fría para no quemarnos– , al separar los dedos se forma un hilo de almíbar (hebra) que termina por romperse.

GUIRLACHE FUSIÓN

UNIDADES: 12 · TIEMPO DE ELABORACIÓN: 1 HORA Y 30 MINUTOS · DIFICULTAD: BAJA

INGREDIENTES

250 g de azúcar

70 g de piñones crudos (y la misma cantidad para decorar)

10 ml de zumo de limón

10 g de miel

250 g de chocolate blanco

Un cuenco de glasé real caramelo

elaboración

En un cazo o sartén antiadherente calentamos el azúcar hasta que se dore sin remover y se forme azúcar caramelo. En ese momento añadimos los piñones, el zumo de limón y la miel. Removemos durante 10 minutos, retiramos del fuego y extendemos sobre una tabla o una encimera de mármol.

Cuando el guirlache esté frío, lo picamos muy menudo y lo mezclamos con el chocolate fundido. Esperamos a que se temple para formar las bolitas. Guardamos en el frigorífico hasta que endurezcan.

Sacamos de la nevera e insertamos un palillo en cada bolita. Bañamos los cake pops en el glaseado, dejamos que se enfríen y pegamos –humedeciendo antes las bolitas con un poquito de agua– los piñones.

SUGERENCIA

Aunque en esta ocasión lo hemos elaborado con piñones, el guirlache tradicional se prepara con almendras crudas y caramelo solidificado. Asociado a los turrones, que tienen un origen árabe y medieval, el guirlache es muy similar al nougat provenzal, un dulce realizado con nueces o almendras y miel. Su nombre procede del francés *grillage* y fue popularizado por los franceses en Aragón a partir del siglo XIX.

HECHIZOS ENTRE NUBES

UNIDADES: 12 · TIEMPO DE ELABORACIÓN: UNA HORA Y 50 MINUTOS · DIFICULTAD: MEDIA

INGREDIENTES
500 g de azúcar
375 ml de agua
20 g de gelatina sin sabor
Sal
Esencia de limón
150 g de crema de mantequilla (buttercream)
Un cuenco de chocolate blanco fundido
Un paquete de Candy Melt's azul
Glasé real (royal icing) de color blanco

elaboración

Echamos el azúcar en un cazo, agregamos 250 ml de agua y ponemos en el fuego hasta conseguir un almíbar a punto de bolita blanda. Aparte, hidratamos la gelatina con 125 ml de agua, batimos con la batidora hasta que quede una mezcla blanca e incorporamos una pizca de sal y la esencia de limón. Mezclamos y, a continuación, añadimos el almíbar, poco a poco, sin dejar de batir, hasta que empiece a enfriarse y vaya tomando más cuerpo. Vertemos en una placa forrada con papel y dejamos que solidifique.

Desmenuzamos y mezclamos con la crema de mantequilla. Formamos las bolitas y guardamos una hora en el frigorífico. Sacamos de la nevera e insertamos un palillo –previamente sumergido en chocolate fundido– en cada cake pops. Dejamos que se afirmen antes de bañarlos en el chocolate blanco o en el Candy Melt's azul.

Por último, cuando el baño de chocolate haya solidificado, decoramos los cake pops con el glasé real.

SUGERENCIA

Al pinchar las bolitas en los palillos, debemos tener cuidado de no introducirlos más de hasta la mitad, pues si los pinchamos demasiado, en cuanto los cubramos con el baño de chocolate o glaseado corremos el riesgo de que se deslicen por el palillo hasta la base.

HOGAR, DULCE HOGAR

UNIDADES: 12 · TIEMPO DE ELABORACIÓN: 1 HORA Y 50 MINUTOS · DIFICULTAD: MEDIA

INGREDIENTES

150 g de azúcar

80 ml de agua

8 yemas de huevo

Azúcar glas

Un paquete de Candy Melt's blanco

elaboración

Preparamos un almíbar poniendo el azúcar y el agua en un cazo de acero de fondo grueso al fuego. Cuando el almíbar esté a punto de bola (cuando se peguen bien los dedos al juntar la hebra) retiramos del fuego.

Mientras, en un cazo, batimos ligeramente las yemas y vamos agregando el almíbar poco a poco. Ponemos el cazo a fuego muy suave, y dejamos cocer, lentamente y removiendo con una cuchara de madera o varillas hasta que comience a cuajarse.

Volcamos la preparación sobre una superficie fría y plana, extendiéndola ligeramente. Dejamos enfriar y espolvoreamos con abundante azúcar glas. Formamos los cake pops haciendo conejitos con la masa y dejamos que endurezcan en el frigorífico una hora, para después bañarlos en el Candy Melt's blanco.

SUGERENCIA

Conviene derretir los Candy Melt's poco a poco y sin calentarlos demasiado, pues si nos pasamos de temperatura, se convertirán en una masa grumosa. Este cake pop, por su afortunada forma de fantasía, está especialmente indicado para celebrar la Pascua.

LLEGÓ LA NAVIDAD

UNIDADES: 12 · TIEMPO DE ELABORACIÓN: 1 HORA Y 30 MINUTOS · DIFICULTAD: BAJA

INGREDIENTES

150 g de bizcocho cuatro cuartos
150 g de crema de limón
Un paquete de Candy Melt's blanco
Perlitas de azúcar doradas

elaboración

Partimos el bizcocho con las manos hasta que quede bien desmenuzado. Ponemos en un bol y mezclamos con la crema de limón. Repartimos la masa en moldecitos individuales con forma de abeto (también podemos dar la forma con las manos) y reservamos en el frigorífico hasta que hayan endurecido, sobre una hora.

Sacamos los cake pops de la nevera, desmoldamos e insertamos en cada uno la punta de un palillo de plástico, que previamente habremos sumergido en los Candy Melt's derretidos, y esperamos a que solidifiquen.

Pasamos los cake pops por los Candy Melt's y, retirando cualquier exceso, los insertamos sobre una bandeja especial para cake pops. Cuando el chocolate esté solidificado, espolvoreamos los cake pops con las perlitas.

SUGERENCIA

Si una vez derretido el baño de Candy Melt's ha quedado muy espeso, tendremos que añadir una o dos cucharadas de Crisco (grasa vegetal ideal para hacer frosting, galletas de chocolate, extender el fondant…) para lograr que se ponga un poco más líquido. Más calor no hará que esté más líquido, simplemente lo estropeará.

MANJAR DE DIOSES

UNIDADES: 12 · TIEMPO DE ELABORACIÓN: 1 HORA Y 30 MINUTOS · DIFICULTAD: BAJA

INGREDIENTES

300 g de chocolate blanco • 200 g de coco rallado • Un poco de chocolate blanco fundido • Un cuenco de glasé real (royal icing) • Coco rallado para espolvorear • Virutas de chocolate

SUGERENCIA

Aunque los cake pops se pueden congelar perfectamente una vez terminados, es imprescindible descongelarlos al menos 24 horas dentro de la nevera antes de servirlos para que queden como recién hechos.

elaboración

En un cuenco, derretimos el chocolate al baño María o en el microondas. Agregamos el coco rallado y mezclamos bien los ingredientes. Dejamos templar y formamos las bolitas con la mezcla. Guardamos en el frigorífico hasta que endurezcan (una hora).

Sacamos las bolitas de la nevera, clavamos en cada una la punta de un palillo de plástico, que previamente habremos sumergido en el chocolate fundido, y esperamos a que solidifiquen. Pasamos los cake pops por el glaseado, retirando el exceso. Espolvoreamos con coco rallado o con las virutas.

MERIENDA DE FRESAS

UNIDADES: 12 · TIEMPO DE ELABORACIÓN: 2 HORAS · DIFICULTAD: BAJA

INGREDIENTES

150 g de azúcar • 150 g de mantequilla a temperatura ambiente •
3 huevos • Una cucharadita y media de aroma de fresa •
150 g de harina • Un sobre de levadura química •
50 ml de leche • Colorante en pasta de color fresa •
4 cucharadas de crema de mantequilla (buttercream) •
Un paquete de Candy Melt's blanco
y otro de color fresa •
Chispitas o virutas de chocolate
de color fresa •
Corazoncitos de chocolate de color blanco y fresa

elaboración

En un recipiente batimos el azúcar con la mantequilla hasta que la mezcla aclare. Añadimos los huevos, uno a uno, sin dejar de batir. Incorporamos el aroma de fresa y mezclamos bien. Después tamizamos la harina con la levadura y la vamos añadiendo alternándola con la leche, batiendo hasta que quede una mezcla homogénea. Incorporamos entonces el colorante y mezclamos. Vertemos la mezcla en un molde y horneamos de 30 a 35 minutos. Sacamos del horno y dejamos enfriar el bizcocho antes de desmenuzarlo y mezclarlo con la crema de mantequilla –que habremos coloreado también en fresa– para elaborar los cake pops, como habitualmente hacemos.

Derretimos los dos tipos de Candy Melt's al baño María o en el microondas, mojamos en ellos los palillos y los insertamos después en los cake pops. Dejamos que se afirmen y los bañamos después en el mismo Candy Melt's. Dejamos que solidifique y, por último, decoramos con las chispitas o los corazoncitos.

...IGINALES TRUFITAS ROSAS

UNIDADES: 12 · TIEMPO DE ELABORACIÓN: 2 HORAS · DIFICULTAD: BAJA

INGREDIENTES

150 g de mantequilla
150 g de azúcar
Una cucharada de vainilla azucarada
3 huevos
150 g de harina
75 g de harina de maíz
3 g de levadura en polvo
25 g de cacao en polvo
100 g de avellanas molidas
4 cucharadas de leche entera
Mantequilla para untar el molde
Un cuenco de crema de mantequilla (buttercream)
Un cuenco de chocolate con leche fundido
Trocitos de chocolate teñido de rosa

elaboración

En un recipiente batimos, la mantequilla con el azúcar y la vainilla azucarada. Incorporamos los huevos y seguimos batiendo. En otro, mezclamos la harina con la harina de maíz, levadura, el cacao y las avellanas. Sin parar de batir la mezcla de mantequilla, vamos agregando una cucharada de la mezcla de harina, y otra cucharada de leche, otra de harina, otra de leche, hasta finalizar con todo. Untamos un molde con mantequilla y lo enharinamos. Vertemos la masa en el molde y horneamos de 30 a 35 minutos.

Desmenuzamos el bizcocho, mezclamos con la crema de mantequilla y formamos las bolitas con la masa. Guardamos en el frigorífico hasta que endurezcan (una hora).

Mojamos los palillos en el chocolate fundido e insertamos en las bolitas. Después, bañamos los cake pops en el chocolate. Dejamos que solidifique y espolvoreamos con los trocitos de chocolate rosa.

SUGERENCIA

Cuando preparemos un bizcocho, es recomendable que los ingredientes estén a temperatura ambiente. Por eso, debemos sacarlos de la nevera por lo menos una hora antes de ir a elaborarlo.

PARAGUAS DE VAINILLA

UNIDADES: 15 · TIEMPO DE ELABORACIÓN: 1 HORA Y 30 MINUTOS · DIFICULTAD: BAJA

INGREDIENTES

150 g de bizcocho de chocolate · 150 g de crema de chocolate · Media cucharadita de vainilla · Un cuenco de baño de chocolate

PARA DECORAR

Papeles de aluminio de colores · Palitos con forma de bastón

elaboración

Hacemos migas con el bizcocho y las mezclamos con la crema de chocolate y la vainilla dejando que se integre bien todo. En lugar de hacer bolitas, formamos conos con las manos, como si fueran paraguas y dejamos que reposen una hora en la nevera para que se queden más duros.

Derretimos chocolate y en el extremo de los palitos de tipo bastón ponemos un poco para clavarlos con más facilidad en los conos de bizcocho.

Introducimos cada paraguas en el baño de chocolate poniendo cuidado para que no goteen y los dejamos solidificar en frío. Podemos hacer marcas o rayas cuando aún no están secos. Por último, envolvemos cada paraguas en papel de aluminio de distintos colores.

SUGERENCIA

Este cake pop es una renovación de los clásicos paraguas de chocolate y sorprenderán gratamente a niños y mayores. Si no encontramos palitos con forma de bastón podemos crearlos girando la punta de un palito de plástico con un alicate.

PRIMAVERA EN FLOR

UNIDADES: 12 · TIEMPO DE ELABORACIÓN: 1 HORA Y 45 MINUTOS · DIFICULTAD: MEDIA

INGREDIENTES

150 g de bizcocho de dulce de leche
150 g de crema de limón (lemon curd)
Un paquete de Candy Melt's amarillo
Un paquete de Candy Melt's verde
Pasta goma de color blanco y amarillo
Piping gel o glasé real

elaboración

Una vez desmenuzado finamente el bizcocho, lo mezclamos con la crema de limón y formamos las bolitas, que guardaremos en el frigorífico hasta que endurezcan (una hora).

Derretimos los diferentes Candy Melt's, mojamos los palillos en el chocolate fundido y los clavamos en las bolitas. Cuando los cake pops estén bien afianzados, los bañamos en los distintos Candy Melt's derretidos y dejamos que solidifique el chocolate antes de decorarlos.

Para realizar las florecillas, extendemos un poco de pasta goma de color blanco con el rodillo y la recortamos con un molde. Repetimos la misma operación con la pasta goma de color amarillo. También hacemos el centro de la flor con la pasta goma y la pegamos. Por último, colocamos las flores en los cake pops, pegándolas con un poco de piping gel (o glasé real).

SUGERENCIA

Es aconsejable no pegar las decoraciones cuando los cake pops todavía están pegajosos, ya que si la decoración pesa mucho, tenderá a agrietar el chocolate mientras se seca. Lo mejor es pegar las decoraciones grandes una vez está seco el cake pop, usando un poquito de cobertura derretida, piping gel o glasé real.

PROMESAS DE AMOR

UNIDADES: 12 · TIEMPO DE ELABORACIÓN: UNA HORA Y 30 MINUTOS · DIFICULTAD: BAJA

INGREDIENTES

150 g de bizcocho Angel Food •
2-3 cucharadas de mermelada de naranja dulce •
Naranja confitada y troceada finamente •
Un paquete de Candy Melt's rojo •
Pasta goma blanca

elaboración

Desmigamos el bizcocho, echamos en un bol y mezclamos con la mermelada de naranja y los trocitos de naranja confitada. Formamos las bolitas con la masa obtenida y reservamos en la nevera hasta que endurezcan. Pasada una hora, cuando ya estén consistentes, sacamos las bolitas del frigorífico y vamos insertando un palillo –que previamente habremos bañado una de sus puntas en el Candy Melt's derretido– en cada una de ellas.

Cuando los cake pops estén bien sujetos al palillo los bañamos en el Candy Melt's y, retirando el posible exceso, dejamos que se sequen. Con la ayuda del rodillo, extendemos un poco de pasta goma y formamos los corazoncitos y las letras. Por último, decoramos con ellos los cake pops.

SUGERENCIA

La cantidad de mermelada irá relacionada con la cantidad de bizcocho. Nos tiene que quedar una masa maleable, pero no demasiado humedecida. Lo mejor es añadir la mermelada poco a poco al bizcocho, según vayamos necesitando.

¡QUÉ SORPRESA!

UNIDADES: 12 · TIEMPO DE ELABORACIÓN: 1 HORA Y 30 MINUTOS · DIFICULTAD: MEDIA

INGREDIENTES

Un cuenco pequeño de chocolate para fundir
Un paquete de nubes (marshmallows)
Un cuenco pequeño de crema de mantequilla (buttercream)
Glasé real (royal icing) blanco
Glasé real (royal icing) naranja
Glasé real (royal icing) rojo
Glasé real (royal icing) verde
Glasé real (royal icing) amarillo
Glasé real (royal icing) azul

elaboración

Derretimos el chocolate al baño María o en el microondas y vamos sumergiendo en él una de las puntas de los palillos para luego insertarlos en las nubes. Dejamos que endurezca el chocolate antes de decorar los cake pops.Cubrimos la parte superior de las nubes con la crema de mantequilla, extendiéndola bien con una espátula.

Llenamos una manga pastelera con boquilla rizada de glasé real blanco y realizamos un pequeño copete encima de la capa que habíamos puesto de crema de mantequilla. Por último, preparamos varias mangas pasteleras –con una boquilla lisa y muy pequeña– con el resto de los glasés de colores (azul, naranja, rojo, verde y amarilo), y vamos realizando los diferentes adornos.

SUGERENCIA

Estos cake pops son sin duda la mejor golosina para regalar en un cumpleaños infantil. Hay que jugar con los colores para que recuerden lo más posible a las chucherías. También podemos usar nata con colorante alimentario en la manga pastelera.

TÉ CON CAKE POPS

UNIDADES: 12 · TIEMPO DE ELABORACIÓN: 2 HORAS · DIFICULTAD: MEDIA

INGREDIENTES

2 huevos
100 g de azúcar integral de caña
Una cucharada de ralladura de limón
Una cucharada de zumo de limón
85 g de mantequilla en pomada
60 ml de leche de almendras
35 g de pistachos molidos
80 g de harina de espelta
15 g de fécula de maíz
2 cucharadas de semillas de amapola
Una cucharadita de levadura
½ cucharadita de sal
150 g de crema de limón
Un paquete de Candy Melt's azul
Pasta goma amarilla
Perlitas de azúcar para decorar

elaboración

En un bol echamos los huevos, el azúcar, la ralladura y el zumo de limón, la mantequilla y la leche de almendras y batimos con las varillas. En otro recipiente mezclamos bien los ingredientes secos. Agregamos la mezcla de huevos a los ingredientes secos y volvemos a mezclar. Vertemos en un molde y horneamos de 20 a 25 minutos, a 200 ºC. Sacamos del horno, dejamos que se temple y desmigamos finamente. Mezclamos con la crema de limón, rellenamos con la mezcla los moldecitos de teteras y tazas y guardamos en el frigorífico una hora.

Cuando hayan endurecido, insertamos los palillos en un poco de Candy Melt's y los clavamos en los cake pops. Después, los bañamos en el Candy Melt's y dejamos que sequen antes de decorarlos con la pasta de goma, con la que haremos las florecillas. Por último, colocamos las perlitas.

SUGERENCIA

Si tenemos previsto utilizar el bizcocho para hacer cake pops, debemos elaborarlo siempre con mantequilla, pues si lo hacemos con aceite, al bañarlo en el chocolate el aceite traspirará por fuera del chocolate, afeando su aspecto final.

TORBELLINO DE SENSACIONES

UNIDADES: 12 · TIEMPO DE ELABORACIÓN: 1 HORA Y 30 MINUTOS · DIFICULTAD: BAJA

INGREDIENTES

150 g de bizcocho genovés
150 g de crema de mantequilla (buttercream) con esencia de naranja
Un cuenco de chocolate negro fundido
Bolitas de azúcar de varios colores

OPCIONAL

Frutas confitadas
Frutos secos

elaboración

Desmigamos finamente el bizcocho y mezclamos con la crema de mantequilla. Formamos unas bolitas y guardamos en el frigorífico hasta que se endurezcan lo suficiente como para poder sumergirla en el baño de chocolate y que no se deshagan. Normalmente, será como una hora.

Sacamos las bolitas de la nevera e insertamos en cada una de ellas un palillo que previamente habremos sumergido la punta en el chocolate fundido. Dejamos que se afiancen bien y los bañamos en el chocolate.

Por último, antes de que el chocolate haya solidificado por completo, espolvoreamos los cake pops con las bolitas de colores. En tiendas espcializadas en repostería, venden todo tipo de toppings, de manera que se pueden decorar de mil formas.

SUGERENCIA

Podemos dar un toque extra de sabor a nuestros cake pops añadiendo pequeños trozos de fruta confitada o frutos secos. De este modo, el grupo de cake pops será visualmente más variado.

TRIPLE TENTACIÓN

UNIDADES: 12 · TIEMPO DE ELABORACIÓN: 1 HORA Y 40 MINUTOS · DIFICULTAD: BAJA

INGREDIENTES

150 g de bizcocho maltés
150 g de crema de limón (lemon curd)
Un paquete de Candy Melt's sabor chocolate
Pasta goma de chocolate

OPCIONAL

Piping gel
Chocolate derretido
Perlitas doradas

elaboración

Desmigamos el bizcocho, lo ponemos en un recipiente y mezclamos con la crema de limón. Modelamos bolitas con la masa y dejamos que endurezcan en el frigorífico durante una hora.

Sacamos de la nevera, clavamos las bolitas en los palillos –antes los habremos sumergido en Candy Melt's fundido– y, cuando estén bien firmes, las bañamos en el mismo Candy Melt's. Dejamos que solidifiquen.

Extendemos con el rodillo un poco de pasta goma y formamos las hojitas. Pegamos, con un pincel humedecido en agua, o con un poco de piping gel, en los cake pops. Por último, decoramos con las perlitas doradas.

SUGERENCIA

En vez de Candy Melt's podemos usar chocolate derretido también, aunque la cobertura queda más gruesa con los Candy Melt's y mejora su presencia.

UNIVERSO BLANCO

UNIDADES: 12 · TIEMPO DE ELABORACIÓN: 2 HORAS Y 40 MINUTOS · DIFICULTAD: BAJA

INGREDIENTES
150 g de bizcocho de chocolate •
150 g de crema de mantequilla (buttercream) •
Chocolate blanco • Pasta fondant blanca

elaboración

Desmenuzamos el bizcocho y mezclamos bien con la crema de mantequilla. Modelamos con la masa obtenida bolitas y guardamos en la nevera durante dos horas, como mínimo. Sumergimos la punta de los palillos de plástico en el chocolate derretido, insertamos en las bolitas y dejamos que solidifiquen.

Estiramos la pasta fondant con el rodillo y cubrimos los cake pops con ella, a modo de saquito. Tal y como se ve en la foto, puede quedar una cobertura un poco rugosa y se pueden dejar secar boca abajo, ya que van a servirse así, parecido al efecto de una manzana de caramelo. Efecto que continúa al morderlo, cuando queda visible el bizcocho que hay debajo.

SUGERENCIA

Al ser totalmente blanco, debemos presentarlos sobre platos, fuentes o blondas de colores vistosos que contrasten con la palidez del dulce. Son unos cake pops muy elegantes que perfectamente pueden servirse en una pedida de mano, haciendo alusión al blanco de las novias. La medida de un cake pop depende de la decoración que lleve encima, pero lo más habitual es preparar cake pops de unos 20 g de peso, lo que equivale a alrededor de 3 cm de diámetro.

VIOLETAS CHIC

UNIDADES: 12 · TIEMPO DE ELABORACIÓN: 1 HORA Y 30 MINUTOS · DIFICULTAD: BAJA

INGREDIENTES
150g de mantequilla
5 fresas
3 cucharadas de azúcar glas
150 g de bizcocho cuatro cuartos
150 g de crema de mantequilla de fresa
Un paquete de Candy Melt's de fresa

elaboración

Primero preparamos una mantequilla de fresa con la mantequilla blanda, batida con las fresas y el azúcar glas. Es mejor usar las varillas para batirlo todo bien. Esta mantequilla se puede poner en un molde y endurecer de nuevo en la nevera, de manera que si sobra puede emplearse para un desayuno original.

Después de desmenuzar finamente el bizcocho y mezclarlo con la crema de mantequilla de fresa, haremos unas bolitas con la masa y las guardaremos en la nevera hasta que hayan endurecido lo suficiente.

Derretimos los Candy Melt's, bañamos con ellos la punta de los palillos y los insertamos en las bolitas. Dejamos que sequen. Bañamos los cake pops en el Candy Melt's y esperamos a que hayan solidificado para ponerlos en las cápsulas de papel y decorarlos con un pequeño lazo.

SUGERENCIA

Cuando realicemos algún pastel, cupcakes o whoopie pies, podemos congelar el bizcocho sobrante y utilizarlo otro día para nuestros cake pops.

YEMAS DE CHOCOLATE

UNIDADES: 12 · TIEMPO DE ELABORACIÓN: 2 HORAS Y 50 MINUTOS · DIFICULTAD: MEDIA

INGREDIENTES

5 cucharadas de nata
30 g de mantequilla
250 g de chocolate blanco
Un paquete de Candy Melt's blanco
Chocolate negro para decorar

elaboración

Ponemos en un cazo la nata y la mantequilla y llevamos a ebullición, sin parar de remover, durante un minuto aproximadamente. Retiramos del fuego. Incorporamos el chocolate blanco troceado y removemos hasta que se haya fundido por completo. Vertemos la pasta en un molde previamente forrado de papel vegetal e introducimos en la nevera alrededor de dos horas para que se endurezca.

Sacamos del frigorífico y formamos las bolitas. Metemos de nuevo en la nevera media hora más. Derretimos el Candy Melt's, bañamos en él las bolitas y dejamos que se enfríen. Preparamos una manga pastelera con chocolate negro derretido y decoramos con él los cake pops.

SUGERENCIA

También podemos decorar estos cake pops haciendo unos pequeños surcos en la superficie con un tenedor y el chocolate negro. Los dibujos de la decoración son libres y cada cake pop puede ostentar un diseño diferente.

COOKIE POPS, GALLETAS CON PALITO

SON TAN BONITAS, QUE PARECEN RECIÉN SALIDAS DE UN CUENTO DE HADAS. DA PENA COMÉRSELAS, PERO CUANDO DAMOS EL PRIMER BOCADO CAEMOS RENDIDOS ANTE SU DELICIOSO SABOR. LAS COOKIE POPS SON UNAS GALLETAS TENTADORAS, APETECIBLES, ORIGINALES, VISTOSAS, ROMÁNTICAS, CHIC Y UN POCO PELIGROSAS PUES, SIN DARNOS CUENTA, NOS HABREMOS COMIDO MÁS DE UNA. POR SUERTE, SON TAN LIGERAS, QUE LA BÁSCULA APENAS NOTARÁ QUE NOS HEMOS DADO UN AUTÉNTICO FESTÍN.

AMOR A PRIMERA VISTA

UNIDADES: 30 · TIEMPO DE ELABORACIÓN: 40 MINUTOS · DIFICULTAD: BAJA

INGREDIENTES

225 g de mantequilla a temperatura ambiente
150 g de azúcar glas
½ cucharadita de sal
Una yema de huevo grande
Un huevo grande
2 cucharaditas de extracto de vainilla
½ cucharadita de extracto de almendras
375 g de harina de repostería tamizada

PARA DECORAR

Caramelos de fresa y de limón
Sprinkles (confetis de colores y sabores variados)

elaboración

Batimos la mantequilla con el azúcar y la sal hasta conseguir una crema suave y esponjosa (si utilizamos batidora a velocidad media), añadimos la yema de huevo y batimos de nuevo. Incorporamos el huevo entero, la vainilla y el extracto de almendras y volvemos a batir. Incorporamos la harina y batimos a velocidad baja. Dividimos la masa en dos mitades y envolvemos en papel film. Guardamos en el frigorífico hasta que la masa esté firme. Espolvoreamos la superficie de trabajo y el rodillo con harina y extendemos la masa. Cortamos la masa con un cortapastas en forma de corazón y, con un cortapastas más pequeño, volvemos cortar, pero sin llegar al fondo de la masa, para hacer la hendidura, e insertamos con cuidado los palillos en las galletas.

Colocamos las galletas en una bandeja sobre papel de hornear, ponemos un caramelo en cada hendidura y espolvoreamos con los sprinkles. Horneamos a 190 ºC, hasta que las galletas se vean secas en la superficie y doradas en los bordes (entre 10 y 13 minutos).

SUGERENCIA

Aunque podemos utilizar azúcar blanquilla normal para la elaboración de la masa de las galletas, al mezclarla con la mantequilla, por mucho que la batamos, nunca se disuelve totalmente, por lo que es mejor emplear azúcar glas, que además produce una textura totalmente lisa en la galleta.

BOCADITOS DE AZÚCAR

UNIDADES: 12 · TIEMPO DE ELABORACIÓN: 2 HORAS · DIFICULTAD: MEDIA

INGREDIENTES

70 g de almendra molida (o harina de almendra)

125 g de azúcar glas

2 claras de huevo

½ cucharadita de azúcar vainillado

Colorante alimentario de color azul

Crema de mantequila (buttercream) de chocolate blanco

OPCIONAL

Confeti azul de azúcar para decorar

elaboración

Mezclamos la almendra molida con el azúcar glas, tamizamos y reservamos. Montamos las claras y, cuando empiecen a espumar, añadimos el azúcar vainillado, espolvoreándolo por encima. Agregamos el colorante y seguimos montándolas hasta que estén firmes, como para merengue. Incorporamos –en varias tandas– la mezcla de azúcar glas y almendra, con movimientos envolventes y teniendo cuidado de no bajar mucho las claras montadas.

Una vez que tenemos la mezcla lista, llenamos una manga pastelera y vamos formando los macarons sobre una lámina de silicona o moldes especiales. Dejamos que reposen a temperatura ambiente durante una hora y, pasado ese tiempo, horneamos durante 12 minutos, a 150 ºC. Sacamos del horno y dejamos enfriar. Para rellenar los macarons, llenamos una manga pastelera con el buttercream y ponemos el relleno en medio. Colocamos el palillo y tapamos con la otra mitad del macaron, presionando ligeramente, pues la masa es muy delicada y puede romperse.

SUGERENCIA

La masa de los macarons debe quedar fluida, pero sin que llegue a desparramarse, pues no debe perder la forma. Para comprobar la textura, podemos echar un poco en una manga pastelera y probar sobre un plato. Apoyando la manga totalmente y apretando para formar el círculo, la masa no debe esparcirse y, si queda algún pico, debe desaparecer a los pocos segundos. Este es el punto óptimo.

CORAZONES ENAMORADOS

UNIDADES: 30 · TIEMPO DE ELABORACIÓN: 3 HORAS ·

DIFICULTAD: MEDIA

INGREDIENTES

225 g de manteca a temperatura ambiente • 320 g de azúcar •
2 cucharaditas de esencia de vanilla • 2 huevos
450 g de harina de repostería tamizada •
Una cucharadita de sal •
2 cucharaditas de levadura química •
2 cucharadas de leche

PARA DECORAR

Pasta fondant (rosa, blanca y fucsia) •
Glasé real (rosa, blanco y fucsia)

elaboración

Mezclamos la manteca con el azúcar y la vainilla, añadimos los huevos y batimos hasta que todos los ingredientes queden bien mezclados. Mezclamos la harina con la sal y la levadura y agregamos a la mezcla anterior junto con la leche. Guardamos en un recipiente, en el interior del frigorífico, durante varias horas o, mejor, durante toda la noche.

Transcurrido el tiempo indicado, sacamos la masa de la nevera y extendemos sobre una superficie enharinada. Cortamos con los moldes de corazones, insertamos un palillo en cada galleta y dejamos que reposen antes de meterlas en el horno. Horneamos, a 190 °C, durante 10-12 minutos. Sacamos del horno y dejamos que se enfríen por completo antes de decorarlas.

Extendemos la pasta fondant sobre una superficie espolvoreada con un poco de azúcar glas y cortamos con los moldes de corazones. Humedecemos con un poco de agua y fijamos sobre las galletas. A continuación, llenamos la manga pastelera con el glasé y comenzamos a decorar por los bordes, para continuar por el centro y finalizar con la frase o letras que les queramos poner. Dejamos que se sequen.

SUGERENCIA

Para la elaboración de este tipo de galletas es preferible emplear mantequilla en vez de margarina o, al menos, mitad mantequilla y mitad margarina, ya que si solo utilizamos margarina, la masa estará demasiado suave.

CHOCOLATINAS PARA COMPARTIR

UNIDADES: 30 · TIEMPO DE ELABORACIÓN: 50 MINUTOS · DIFICULTAD: BAJA

INGREDIENTES

175 g de chocolate negro •340 g de harina de repostería tamizada •
Una cucharadita de levadura química •¼ de cucharadita de sal •
113 g de mantequilla a temperatura ambiente • 80 g de azúcar •
Un huevo • Una cucharadita de extracto de vainilla

PARA DECORAR

Pasta fondant (rosa y blanca)
Glasé real (rosa y blanco)

elaboración

Precalentamos el horno a 175 ºC. En un cazo echamos el chocolate, derretimos a fuego bajo y reservamos. En otro recipiente mezclamos la harina, la levadura química y la sal. En un cuenco grande batimos la mantequilla con el azúcar hasta que quede cremosa. Añadimos el huevo y la vainilla, volvemos a mezclar y agregamos el chocolate derretido, batiendo de nuevo. Incorporamos, poco a poco, la mezcla de la harina hasta que quede una masa blanda. Formamos una bola, que aplastamos hasta 2 cm y envolvemos en papel film. Guardamos en el frigorífico durante 15 minutos.

Sacamos la masa de la nevera y extendemos sobre una superficie espolvoreada de harina. Cortamos con el molde e insertamos un palillo en cada una de las galletas. Horneamos 10-12 minutos y dejamos reposar hasta que se enfríen por completo para decorarlas. Extendemos la pasta fondant sobre una superficie espolvoreada con un poco de azúcar glas, cortamos los redondeles y fijamos sobre las galletas. Después, marcamos los puntitos ayudándonos con un palito de bambú. Por último, llenamos la manga pastelera con el glasé y formamos las letras sobre el fondant.

SUGERENCIA

Al contrario que sucede con la masa de otras galletas –que deben permanecer en el frigorífico durante varias horas– esta, en concreto, debe extenderse y cortarse después de 15 minutos de refrigeración, ya que si la tenemos más tiempo en la nevera se endurecerá mucho y no se extenderá bien.

DULCE BIENVENIDA

UNIDADES: 12 · TIEMPO DE ELABORACIÓN: 3 HORAS · DIFICULTAD: MEDIA

INGREDIENTES

225 g de mantequilla • 230 g de queso cremoso • 300 g de azúcar • Un huevo • Una cucharadita de extracto de vainilla • ½ cucharadita de extracto de almendras • 525 g de harina de repostería tamizada • Una cucharadita de levadura química

PARA DECORAR

Pasta fondant (rosa y blanca) • Glasé real (rosa y blanco)

elaboración

En un bol batimos la mantequilla con el queso cremoso, añadimos el azúcar y volvemos a batir hasta obtener una mezcla ligera. Agregamos el huevo, la vainilla y el extracto de almendras, y batimos de nuevo. Mezclamos la harina con la levadura y añadimos a la mezcla anterior, revolviendo hasta obtener una mezcla homogénea. Dividimos la masa en dos partes, envolvemos en papel film y guardamos en la nevera durante varias horas.

Extendemos la masa –dejándola con un grosor de unos 0,6 cm– sobre una superficie enharinada y cortamos con los cortapastas de letras (también podemos hacerlo manualmente, dibujando antes una plantilla con el dibujo de las letras). Horneamos durante 8-10 minutos o hasta que estén ligeramente doradas. Sacamos del horno y dejamos que se enfríen sobre una rejilla antes de decorarlas. Con un rodillo, estiramos la pasta fondant y la cortamos con los mismos cortapastas que hemos utilizado para cortar la masa de las galletas. Humedecemos con un poco de agua y pegamos en las galletas. Llenamos la manga pastelera con el glasé y realizamos la decoración.

FANTASÍA DE CHOCOLATE Y CARAMELO

UNIDADES: 12 · TIEMPO DE ELABORACIÓN: 50 MINUTOS · DIFICULTAD: BAJA

INGREDIENTES

200 g de chocolate negro • Una cucharada de mantequilla • 2 cucharadas de licor de moras • Sprinkles • Perlas de chocolate de color morado • Chocolate blanco (opcional) • Chocolate con leche (opcional)

elaboración

Troceamos el chocolate, echamos en un cazo y lo fundimos, a fuego lento, al baño María. Añadimos la mantequilla y removemos constantemente con cuchara de madera hasta que se derrita en el chocolate caliente. Agregamos el licor y mezclamos hasta que se integre por completo.

Retiramos el chocolate del fuego y dejamos que se temple un poco. Rellenamos las cucharillas con la crema de chocolate y ponemos una perla en medio de cada una. Por último, espolvoreamos con los sprinkles y dejamos que se enfríen. Se pueden también hacer con distintos chocolates, por ejemplo con blanco o con leche, y así ofrecer una paleta de colores y sabores más interesante.

SUGERENCIA

Sprinkle, en inglés, significa literalmente «espolvorear» o «rociar» y como sustantivo, son piezas muy menudas de repostería para salpicar de color preparaciones como esta.

FIESTA DE PIRULETAS

UNIDADES: 30 · TIEMPO DE ELABORACIÓN: 1 HORA · DIFICULTAD: MEDIA

INGREDIENTES

200 g de mantequilla a temperatura ambiente
120 g de azúcar glas
2 huevos
200 g de coco rallado
400 g de harina de repostería tamizada
Una cucharada de levadura química

PARA DECORAR

Pasta fondant (varios colores)
Glasé real (varios colores)

elaboración

En un bol, mezclamos la mantequilla con el azúcar glas y el coco rallado. Agregamos los huevos y volvemos a batir. En otro recipiente, mezclamos la harina con la levadura e incorporamos, poco a poco, a la mezcla anterior. Dividimos la masa en dos partes, envolvemos en papel film y guardamos en el frigorífico hasta que endurezca.

Sacamos la masa de la nevera y la extendemos sobre una superficie enharinada. Cortamos con los diferentes cortapastas y colocamos en una bandeja sobre papel de hornear. Insertamos un palillo en cada galleta, apretando con cuidado para que se afiance, y metemos en el horno de 10 a 12 minutos. Sacamos del horno y dejamos que se enfríen sobre una rejilla antes de decorarlas. Extendemos el fondant sobre una superficie espolvoreada con azúcar y lo cortamos con los mismos cortapastas que hemos empleado para cortar la masa de la galleta. Pegamos sobre estas y decoramos con el glasé real.

SUGERENCIA

Si bien la consistencia de la mantequilla que empleemos para elaborar las galletas ha de ser blanda –en pomada–, nunca tiene que estar derretida, ya que si se encuentra en ese punto, puede verse afectada la absorción de la harina mientras la estamos mezclando.

FLORES PARA EL TÉ

UNIDADES: 30 · TIEMPO DE ELABORACIÓN: 3 HORAS · DIFICULTAD: MEDIA

INGREDIENTES

340 g de mantequilla
480 g de azúcar glas
Un huevo
600 g de harina de repostería
2 cucharaditas de canela en polvo
½ cucharadita de nuez moscada
¼ cucharadita de clavo dulce
Una cucharadita de jengibre
¼ cucharadita de bicarbonato de soda

PARA DECORAR

Glasé real (varios colores)

elaboración

En un cuenco batimos la mantequilla con el azúcar. Agregamos el huevo y volvemos a batir hasta que quede una mezcla ligera. Mezclamos la harina con las especias y la soda, añadimos a la mezcla de la mantequilla y volvemos a mezclar. Formamos una bola con la masa obtenida y partimos en dos mitades. Envolvemos en papel film y guardamos en el frigorífico durante varias horas o toda la noche.

Sacamos la masa de la nevera y extendemos sobre una superficie enharinada. Cortamos con el cortapastas y colocamos en una bandeja sobre papel encerado. Insertamos un palillo en cada una de las galletas y metemos en el horno de 10 a 12 minutos. Cuando las galletas ya estén horneadas, las sacamos y las dejamos enfriar sobre una rejilla. Una vez frías, pasamos a decorarlas. Para ello llenamos una manga pastelera con glasé y rellenamos primero las hojas de la galleta, después el centro y, por último, hacemos las bolitas, retirando cualquier resto con un palito de bambú.

SUGERENCIA

Es importante que cuando rellenemos la manga pastelera no pongamos demasiada cantidad de glacé real (royal icing), tan solo la que quepa en nuestra mano. Primero, es más cómodo y no se nos cansará tanto la mano. Segundo, si tenemos mucha cantidad se nos terminará calentando el glacé y variará la consistencia.

GOLOSINAS DE FONDANT

UNIDADES: 12 · TIEMPO DE ELABORACIÓN: 45 MINUTOS · DIFICULTAD: BAJA

INGREDIENTES
60 g de azúcar glas
120 g mantequilla en pomada
Un huevo
140 g de harina de repostería tamizada
60 g de cacao en polvo sin azúcar

PARA DECORAR
Pasta fondant (blanca, chocolate y rosa)

elaboración

Batimos con las varillas el azúcar y la mantequilla. Añadimos el huevo y seguimos batiendo. Incorporamos la harina tamizada, junto con el cacao, y mezclamos con una pala. Hacemos una bola con la masa, la partimos en dos mitades y la envolvemos con papel film. Dejamos que se enfríe en la nevera. Cuando la masa de las galletas ya esté firme la extendemos sobre una superficie enharinada, dejándola de un grosor de aproximadamente medio centímetro. Cortamos la masa con el cortapastas y la ponemos en una bandeja forrada en papel de horno. Insertamos un palillo en cada galleta, y horneamos 10-15 minutos, a 180 °C. Una vez sacadas del horno, las dejamos enfriar en una rejilla.

Tomamos pequeñas porciones de pasta fondant y las estiramos sobre una superficie espolvoreada con azúcar glas, formando una especie de canutillos. Juntamos los canutillos de los tres colores, los enrollamos entre sí y, a continuación, los volvemos a enrollar hasta formar la piruleta. Humedecemos con un poco de agua y pegamos en las galletas. Repetimos la misma operación con el resto de la pasta fondant.

SUGERENCIA

Antes de realizar cualquier decoración en las galletas, es imprescindible que estén bien secas y firmes. Es decir, que hayan pasado varias horas desde que las sacamos del horno. Por eso, lo mejor es decorarlas al día siguiente de haberlas horneado.

TARTAS DECORADAS, LA MAGIA DEL FONDANT

AUNQUE LAS PRIMERAS TARTAS DE DOS PISOS FUERON CONFECCIONADAS POR LOS ROMANOS –LA MÁS POPULAR SE LLAMABA PLACENTA, UNA ESPECIE DE EMPANADA ELABORADA CON HARINA DE CENTENO Y DE TRIGO, Y RELLENA DE MIEL, ESPECIAS Y QUESO DE OVEJA–, LA TRADICIÓN DE TARTAS DECORADAS, RELLENAS DE FRUTAS Y CONFITURAS, SE INICIÓ DURANTE EL REINADO DE ISABEL I DE INGLATERRA, EN EL SIGLO XVI, ALCANZANDO SU MÁXIMO ESPLENDOR EN LA ACTUALIDAD, AL CONVERTIRLAS, CON LA UTILIZACIÓN DE GLASEADOS, COBERTURAS Y OTROS ELEMENTOS DECORATIVOS, EN AUTÉNTICAS OBRAS DE ARTE DE REPOSTERÍA.

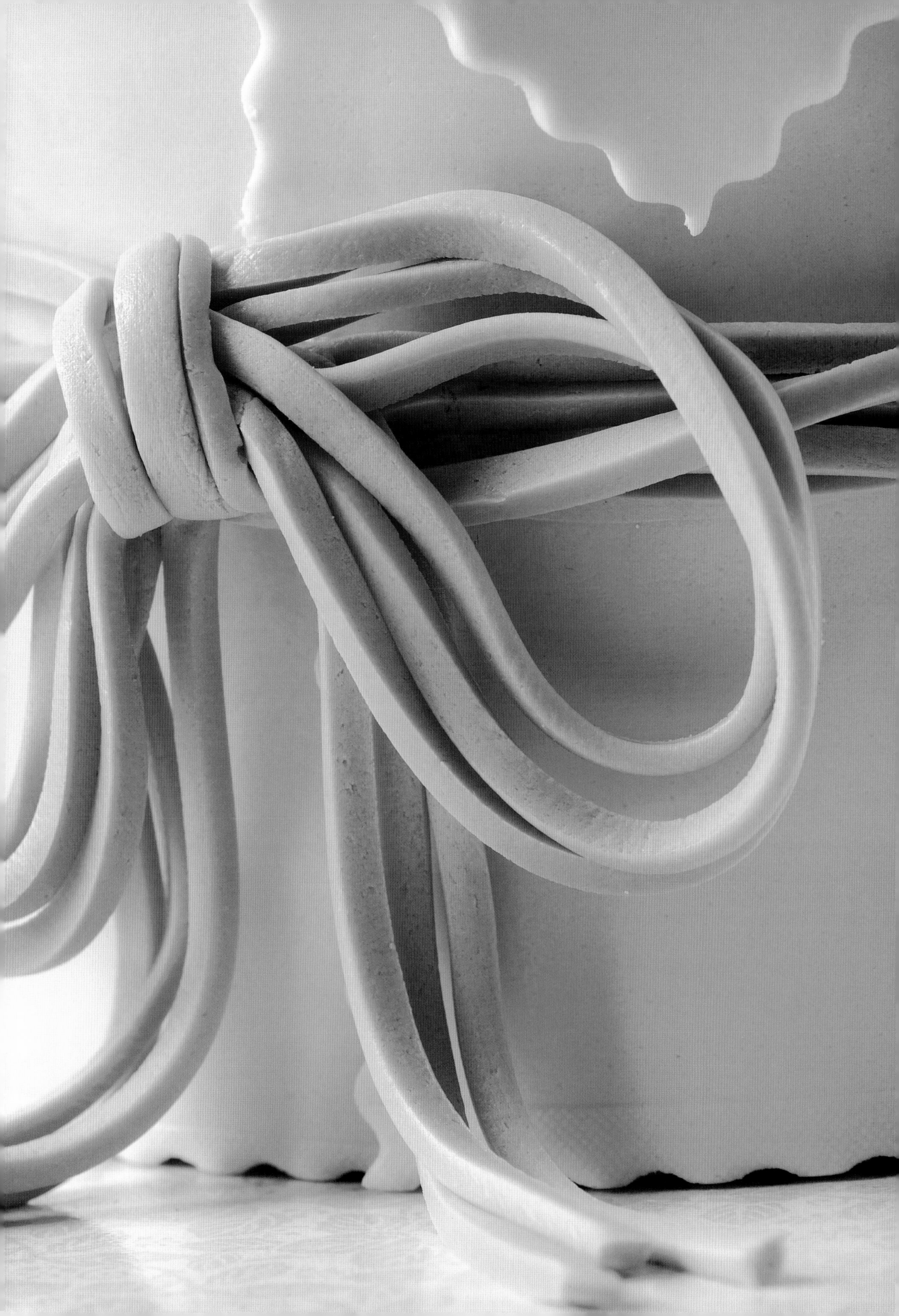

AZÚCAR BABY

UNIDADES: 1 · TIEMPO DE ELABORACIÓN: 2 HORAS · DIFICULTAD: MEDIA

INGREDIENTES
12 huevos
450 g de azúcar
450 g de harina de repostería tamizada

PARA EL ALMÍBAR
50 ml de agua
50 ml de azúcar

PARA EL RELLENO Y COBERTURA
Crema de limón (lemon curd)
Pasta de goma (varios colores)
Glasé real (royal icing) azul

elaboración

Batimos los huevos con el azúcar hasta que doblen su volumen. Añadimos la harina con movimientos envolventes para que no se baje la masa. Repartimos la masa en tres recipientes untados con mantequilla, espolvoreados con harina, y horneamos, a 160 ºC, hasta que queden cocidos. Cuando se hayan templado, desmoldamos. Cubrimos con crema de limón la base de una tarta y colocamos encima el primer bizcocho. Mojamos con el almíbar que hemos preparado con el agua y el azúcar, y dejamos que lo absorba Extenderemos una capa gruesa de crema de limón y colocamos encima el otro bizcocho. Repetimos la operación, finalizando con el último bizcocho, al que solo pondremos almíbar.

Eliminamos con un pincel las migas que hayan quedado. Damos una capa de cobertura –con la crema de limón– para que quede uniforme y dejamos enfriar en la nevera durante 20 minutos. Realizamos los adornos con la pasta de goma, utilizando unos moldes para los patucos, y siguiendo la plantilla de los ositos (ver introducción). Las flores las haremos a mano con trozos de pasta de goma. Por último, escribimos la dedicatoria con glasé.

SUGERENCIA

Si en lugar de guardar los bizcochos en el frigorífico tan solo unas horas, dejamos que reposen durante toda la noche envueltos en papel film, al día siguiente su sabor y textura estarán más asentados, por lo que nos resultará más fácil la decoración.

Bienvenido
Bebé

BLANCA NAVIDAD

UNIDADES: 1 · TIEMPO DE ELABORACIÓN: 1 HORA Y 30 MINUTOS · DIFICULTAD: MEDIA

INGREDIENTES
280 g harina de repostería tamizada
Una cucharadita de bicarbonato sódico
¼ cucharadita sal
250 g de mantequilla a temperatura ambiente
220 g azúcar moreno claro
185 g de azúcar blanquilla
4 huevos grandes a temperatura ambiente
2 cucharaditas de esencia de vainilla
125 g de chocolate de cobertura sin azúcar
250 ml de suero de leche (buttermilk)

PARA EL ALMÍBAR
50 ml de agua
50 g de azúcar
Un sobrecito de café expreso soluble

PARA LA COBERTURA
Crema de mantequilla con chocolate
Fondant de chocolate
Pasta de goma blanca

elaboración

Precalentamos el horno a 180 ºC y engrasamos dos moldes (uno de ellos más pequeño y más alto). Tamizamos la harina, el bicarbonato y la sal, y mezclamos. Batimos la mantequilla con los dos azúcares. Añadimos los huevos uno a uno, sin dejar de batir. Agregamos la vainilla y batimos un minuto más. Incorporamos el chocolate derretido y volvemos a batir hasta conseguir un color uniforme. Agregamos los ingredientes secos que teníamos reservados, en tres veces, y el buttermilk en dos veces (secos, buttermilk, secos).

Dividimos la masa en los dos moldes y horneamos. Cuando los bizcochos estén fríos, los decoramos. Disolvemos el agua y el azúcar a fuego lento, y agregamos el café soluble. Dejamos enfriar antes de echarlo en un biberón y humedecer con él los bizcochos. Colocamos un poco de crema de mantequilla en la base del bizcocho grande y cubrimos la parte superior del mismo con otra capa para poner encima el bizcocho más pequeño.

Extendemos el fondant con el rodillo y lo colocamos encima de los bizcochos. Rematamos con un cuchillo los bordes y los decoramos con dos blondas. Aparte, extendemos un poco de pasta de goma y la recortamos siguiendo el dibujo de la plantilla (ver introducción). Por último, colocamos el adorno encima del bizcocho superior.

SUGERENCIA

Cuando vayamos a trabajar el fondant, podemos extenderlo sobre una superficie ligeramente untada con margarina, en lugar de con azúcar icing. La grasa, además de funcionar bien, tiene la ventaja de que no se seca, como ocurre con el azúcar.

BUCLES DE MANTEQUILLA

UNIDADES: 1 · TIEMPO DE ELABORACIÓN: 1 HORA Y 30 MINUTOS · DIFICULTAD: MEDIA

INGREDIENTES
375 g de harina
Una cucharada de levadura química
½ cucharadita de sal
250 g de mantequilla a temperatura ambiente
350 g de azúcar
4 huevos grandes
2 cucharaditas de extracto de vainilla
250 ml de leche
20 g de pasta de frambuesa
300 g de mermelada de albaricoque

PARA LA COBERTURA
400 g de nata para montar muy fría
150 g de queso cremoso
150 g de azúcar glas
½ cucharadita de pasta de frambuesa

elaboración

Engrasamos cuatro moldes de 18 cm. En un cuenco tamizamos la harina con la levadura y la sal y reservamos. Mezclamos la leche con el extracto de vainilla y reservamos. Batimos la mantequilla con el azúcar, añadimos los huevos uno a uno, y la mitad de la harina, continuamos batiendo e incorporamos la mitad de la leche. Seguimos batiendo, alternando los ingredientes, para terminar con la harina. Dividimos la masa en cuatro partes iguales. Una la ponemos en su molde. A la siguiente le ponemos media cucharada de pasta de frambuesa, mezclándola bien. A la tercera le echamos una cucharadita de pasta de frambuesa, y a la cuarta, media cucharadita. Colocamos cada masa en su molde y horneamos 25-30 minutos, a 180 °C.

Sacamos del horno y dejamos enfriar. Para preparar la cobertura, montamos la nata con el azúcar, añadimos el queso y batimos hasta que quede integrado. Por último, agregamos la pasta de frambuesa. Cuando vayamos a montar la tarta, pondremos entre cada capa de bizcocho 100 g de mermelada de albaricoque. A continuación, llenamos una manga pastelera con una boquilla rizada con la cobertura y decoramos haciendo los bucles.

SUGERENCIA

Al decorar, la posición de la manga puede ser totalmente vertical (ángulo de 90°) o intermedia entre vertical y horizontal (ángulo de 45°).

CUPCAKES EN FLOR

UNIDADES: 12 · TIEMPO DE ELABORACIÓN: 1 HORA · DIFICULTAD: BAJA

INGREDIENTES

200 g de harina de repostería • Una y ½ cucharaditas de levadura química •
115 g de mantequilla a temperatura ambiente •
220 g de azúcar • 3 huevos medianos

PARA LA COBERTURA

325 g de azúcar glas o icing sugar •
250 g de mantequilla a temperatura ambiente •
Una cucharadita de pasta de fresa • 120 ml de leche • Colorante rojo

elaboración

Preparamos la bandeja para cupcakes con 12 cápsulas de papel. Tamizamos la harina con la levadura y reservamos. Batimos la mantequilla con el azúcar hasta que esté blanquecina y esponjosa. Añadimos los huevos, uno a uno, sin dejar de batir. Agregamos la mitad de la harina y volvemos a batir. Incorporamos el resto de la harina y removemos hasta que quede una mezcla homogénea.

Repartimos la masa en las cápsulas y horneamos alrededor de 25 minutos, a 180 °C. Sacamos los cupcakes del horno, dejamos enfriar en los moldes y después pasamos a una rejilla hasta que se enfríen por completo. Para elaborar la crema de cobertura, tamizamos el azúcar y ponemos en un bol junto con la mantequilla, el aroma de fresa y la leche. Batimos hasta que quede casi blanco y añadimos entonces el colorante rojo. Rellenamos con esta crema la manga pastelera –con una boquilla rizada– y decoramos la superficie de los cupcakes. Por último, pegamos los cupcakes en un corcho blanco para formar la tarta.

SUGERENCIA

La presión que debemos hacer sobre la manga al decorar depende de qué vayamos a hacer y de su diseño. Por ejemplo, si la decoración tiene que ser gruesa, haremos presión fuerte; si es no muy gruesa, la presión será mediana, y si el decorado es fino, la presión será suave.

With Love

CAJAS SORPRESA

UNIDADES: 1 · TIEMPO DE ELABORACIÓN: 40 MINUTOS · DIFICULTAD: MEDIA

INGREDIENTES

5 bizcochos Madeira Sponge de diferentes tamaños

PARA BUTTERCREAM DE CHOCOLATE

284 g de chocolate puro

454 g de mantequilla a temperatura ambiente

4 claras de huevo grandes

200 g de azúcar

PARA LA COBERTURA

Fondant (verde, naranja, malva y azul)

Perlitas de azúcar

Cintas para decorar

elaboración

Para preparar el buttercream, derretimos el chocolate al baño María o en el microondas. En un cuenco, batimos la mantequilla hasta que esté lisa y cremosa. En otro recipiente batimos las claras hasta que se formen picos suaves, echamos el azúcar, poco a poco, y batimos hasta que se hagan picos rígidos. Mezclamos la mantequilla, cucharada a cucharada, sin dejar de batir. Agregamos el chocolate fundido, ya frío, de golpe, y batimos hasta que la mezcla esté lisa y de color uniforme. Guardamos en un recipiente hermético hasta el momento de utilizarlo.

Con un cuchillo de sierra damos forma hexagonal u octogonal a los bizcochos y los partimos en tres capas. Rellenamos y cubrimos con el buttercream. Dejamos reposar. Extendemos el fondant, recortando la cantidad suficiente para cubrir cada uno de los bizochos. Colocamos las hileras de perlitas. Cubrimos, recortamos y eliminamos el sobrante. Por último, envolvemos con las cintas.

SUGERENCIA

Siempre que se cubra una tarta que tenga esquinas en pico, en vez de redondeadas, con fondant, tendremos que cubrirla con varias piezas. Como estas piezas terminarán en una junta, habrá que decidir si es mejor tener la junta en el lateral o en la parte superior de la tarta.

DE DISEÑO

UNIDADES: 1 · TIEMPO DE ELABORACIÓN: 1 HORA · DIFICULTAD: MEDIA

INGREDIENTES
5 bizcochos de chocolate (de varios tamaños)

PARA EL RELLENO
680 g de chocolate blanco
64 g de manteca de cacao fundida
50 g de mantequilla clarificada
50 g de aceite insípido mineral o de cártamo

PARA LA COBERTURA
Fondant (varios colores)
Glasé real (varios colores)

elaboración

Troceamos el chocolate, echamos en un recipiente y lo ponemos al baño María. Añadimos la manteca de cacao, la mantequilla clarificada y el aceite y colocamos sobre un cazo con agua caliente, a fuego suave. Retiramos del fuego y removemos hasta que el chocolate comience a fundirse. Volvemos a poner en el fuego si el agua se enfría removiendo hasta que el chocolate esté listo. Dejar reposar, removiéndolo de vez en cuando hasta que esté completamente frío.

Damos forma a los bizcochos, cortamos –cada uno de ellos en tres capas– y rellenamos y cubrimos con la crema de chocolate. Dejamos reposar. Extendemos el fondant y cubrimos cada uno de los bizcochos y montamos uno encima de otro, intercalando entre ellos una fina capa de crema de chocolate. Llenamos la manga pastelera con el glasé real y decoramos los bizcochos ya cubiertos con el fondant, superponiendo figuras geométricas y tiras en zigzag de diferentes tonalidades (ver introducción) en su decoración final.

SUGERENCIA

Para darle la forma podemos colocar una escuadra contra el bizcocho, y con un cuchillo afilado marcar una línea alrededor de la parte superior a la altura deseada. Después, con un cuchillo de sierra corta, a lo largo de la línea marcada, quitaremos el sobrante.

DELICADA Y DELICIOSA

UNIDADES: 1 · TIEMPO DE ELABORACIÓN: 1 HORA Y 30 MINUTOS · DIFICULTAD: MEDIA

INGREDIENTES
75 g de mantequilla
260 g de harina de repostería
Una y ¼ cucharadita de levadura química
Una cucharadita de bicarbonato sódico
½ cucharadita de sal
250 g de azúcar
2 huevos grandes
Una cucharadita de extracto de vainilla
3 plátanos hechos puré
250 ml de nata fresca
90 g de nueces molidas

PARA EL RELLENO
300 g de chocolate de cobertura
400 g de nata fresca

PARA LA COBERTURA Y DECORACIÓN
Fondant amarillo y blanco y glasé real
Blonda de pastelería
Cintas doradas
Flores de tela

elaboración

Engrasamos con un poco de mantequilla tres moldes. Tamizamos la harina con la levadura, el bicarbonato y la sal, y reservamos. Batimos la mantequilla con el azúcar. Añadimos los huevos, uno a uno y, a continuación, el extracto de vainilla. Incorporamos el puré de plátano y batimos. Agregamos un tercio de la harina y batimos hasta integrarla. Añadimos la mitad de la nata y, sin dejar de batir, continuamos alternando con la harina hasta terminar. Incorporamos las nueces molidas y mezclamos todo bien.

Repartimos entre los tres moldes y horneamos 25-30 minutos, a 175 °C. Para preparar el relleno, derretimos el chocolate al baño María. Cuando esté tibio, añadimos la nata y batimos hasta obtener una mezcla de un color uniforme. Partimos cada uno de los bizcochos en tres capas y rellenamos y cubrimos con la crema de chocolate. Dejamos reposar. Estiramos los dos tipos de fondant y cubrimos los bizcochos. Colocamos uno encima de otro, pegándolos con una capa de glasé. Por último, decoramos con la blonda de pastelería, las cintas doradas y las flores.

SUGERENCIA

La nata para elaborar la crema de chocolate debe estar a temperatura ambiente pues, si está demasiado fría, el chocolate se enfriará y quedará con grumos.

DIMINUTA TENTACIÓN

UNIDADES: 12 · TIEMPO DE ELABORACIÓN: 50 MINUTOS · DIFICULTAD: BAJA

INGREDIENTES
Un huevo
Una pizca de sal
60 g de mantequilla
100 g de azúcar
2 cucharaditas de esencia de vainilla
100 g de harina de repostería
3 g de levadura química
20 ml de Moscatel
40 ml de leche entera

PARA LA COBERTURA
Crema de limón
Fondant rosa y blanco
Pasta de goma rosa y blanca
Perlitas de azúcar
(o de chocolate)

elaboración

Separamos la clara de la yema, añadimos la pizca de sal a la clara y montamos a punto de nieve. Aparte, batimos la mantequilla en pomada junto con el azúcar y la esencia de vainilla. Añadimos la yema de huevo, mezclamos y reservamos. Por un lado mezclamos la harina con la levadura y, por otro, el vino dulce con la leche. A la mezcla con la mantequilla le vamos añadiendo un poco de harina y otro poco de leche, hasta terminarlo y mezclarlo todo bien. Agregamos la clara montada a la mezcla que hemos ido preparando y mezclamos con cuidado. Distribuimos la masa en moldecitos con forma de corazón, previamente engrasados, y horneamos hasta que estén bien cocidos. Sacamos del horno y dejamos enfriar. Cubrimos los bizcochitos-corazón con una fina capa de crema de limón y dejamos reposar. A continuación los cubrimos con el fondant.

Aparte, extendemos la pasta de goma y realizamos con ella las flores (ver introducción). Las pegamos en los corazones con un poco de glasé o con un pincel humedecido en agua y, por último, colocamos una perlita en el centro de cada una.

SUGERENCIA

Si al ir a utilizar el fondant –que teníamos guardado desde hace tiempo– está muy denso, antes de amasarlo podemos meterlo unos segundos en el microondas. De esta manera se volverá más maleable y nos resultará más fácil trabajar con él.

EXQUISITO INVIERNO

UNIDADES: 1 · TIEMPO DE ELABORACIÓN: 1 HORA Y 10 MINUTOS ·
DIFICULTAD: MEDIA

INGREDIENTES

230 g de chocolate de cobertura • 370 g de harina de repostería •
Una y ½ cucharaditas de levadura química • Una y ½ cucharaditas de bicarbonato sódico •
½ cucharadita de sal • 500 ml de leche a temperatura ambiente •
2 cucharaditas de extracto de vainilla • 170 g de mantequilla a temperatura ambiente •
350 g de azúcar • 3 huevos grandes (separadas las claras de las yemas)

PARA EL RELLENO Y LA COBERTURA

Crema de mantequilla aromatizada con vainilla • Pasta fondant •
Pasta de goma blanca • Blondas de pastelería

elaboración

Engrasamos tres moldes desmoldables de 18 cm y cubrimos la base con papel de hornear. Fundimos el chocolate al baño María y dejamos que se enfríe. Tamizamos la harina con la levadura, el bicarbonato y la sal, y reservamos. Mezclamos la leche con la vainilla y reservamos.

Batimos la mantequilla con el azúcar, añadimos las yemas batidas, y volvemos a batir. Incorporamos el chocolate fundido, ya frío, batiendo hasta conseguir una mezcla homogénea. Añadimos un tercio de la harina, mezclamos, y agregamos un tercio de la leche con vainilla. Continuamos alternando con la harina hasta que hayamos terminado. Incorporamos, con movimientos envolventes, las claras montadas a punto de nieve. Repartimos la masa entre los tres moldes y horneamos durante 25-30 minutos. Dejamos enfriar, envolvemos en papel film y guardamos en el frigorífico durante un día. Sacamos de la nevera, ponemos el primer bizcocho sobre una base de tartas y rellenamos con crema de mantequilla entre capa y capa de bizcocho. Después, cubrimos también con crema de mantequilla toda la tarta, alisando con una espátula. Extendemos el fondant y cubrimos la tarta, recortando los bordes con un cuchillo. Extendemos la pasta de goma y recortamos los arbolitos (ver introducción), colocándolos después en la parte superior de la tarta. Por último, decoramos con las blondas de repostería.

SUGERENCIA

Al montar este tipo de tartas (layer cake) es importantísimo haber nivelado, igualado y retirado todas las migas de los bizcochos para que al poner la cobertura nos quede perfecta. Si a pesar de tener esa precaución, vemos que nos han quedado algunas migas mientras estamos montando la tarta, las retiraremos con cuidado con una brochita de silicona.

FANTASÍA DE COLORES

UNIDADES: 1 · TIEMPO DE ELABORACIÓN: 1 HORA · DIFICULTAD: BAJA

INGREDIENTES

270 g de harina de repostería • 30 g de harina de maíz refinada •
Una cucharada de levadura química • ½ cucharadita de sal •
Una o 2 cucharaditas de extracto de vainilla •
125 g de mantequilla • 225 g de azúcar •
Colorante alimentario en gel (rosa, azul, verde, amarillo y naranja) •
Nata para montar muy fría •
Azúcar glas

elaboración

Precalentamos el horno a 170 ºC. Engrasamos el molde y forramos la base con papel de hornear. Tamizamos la harina de repostería, la harina de maíz refinada, la levadura, la sal y el extracto de vainilla, y reservamos. Batimos la mantequilla con el azúcar hasta que haya blanqueado y se haya disuelto por completo el azúcar. Incorporamos un tercio de los ingredientes secos, alternando con los líquidos y terminando de nuevo con los secos.

Dividimos la masa en cinco partes iguales, que son los colores que necesitaremos. Colocamos cada parte de masa en un bol y echamos unas gotitas de colorante, mezclando bien hasta que la mezcla quede de un color uniforme. Horneamos cada capa de bizcocho durante 10 minutos, aproximadamente. Sacamos del horno y dejamos enfriar sobre una rejilla.

Montamos la nata con azúcar glas al gusto. Ponemos una primera capa de bizcocho sobre una base redonda para tartas y cubrimos con nata montada. Colocamos otra de las capas y repetimos el proceso. Por último, cubrimos toda la tarta con la nata montada, alisando bien la superficie con una espátula.

SUGERENCIA

Aunque nosotros la hemos elaborado con extracto de vainilla, a esta tarta se le puede poner cualquier tipo de sabor o aroma, por ejemplo, limón o naranja, o algún licor.

FRESA Y CHOCOLATE

UNIDADES: 1 • TIEMPO DE ELABORACIÓN: 1 HORA Y 30 MINUTOS •

DIFICULTAD: MEDIA

INGREDIENTES

3 bizcochos (al gusto) de diferentes tamaños •
Crema de mantequilla con chocolate blanco •
Fondant rosa •
Glasé real (rosa y blanco)

elaboración

Partimos cada uno de los tres bizcochos en tres capas. Rellenamos y cubrimos –alisando la superficie con una espátula– con la crema de mantequilla con chocolate. Dejamos que asiente al menos durante media hora en el frigorífico.

Colocamos el bizcocho más grande –ya relleno– sobre una bandeja para tartas y cubrimos con el fondant. A continuación, ponemos encima el siguiente bizcocho, pegándolo al anterior con un poco de glasé rosa, y cubrimos también con el fondant. Repetimos la misma operación con el último bizcocho. Por último, llenamos una manga pastelera con glasé blanco y decoramos la tarta formando las perlitas.

SUGERENCIA

Normalmente, el relleno entre dos capas de bizcocho es de 6 mm de grosor. Para que nos sea más fácil rellenarlo, pondremos un montón de cobertura sobre la parte superior de la capa de bizcocho y, con una espátula larga, apretaremos con firmeza hacia delante y hacia atrás. Cuando toda la superficie esté completamente cubierta, pondremos la espátula en paralelo y sobre la mitad del bizcocho con la hoja en el mismo plano de la superficie de la cobertura, y apretaremos ligeramente, moviendo la tabla giratoria –sobre la que hemos puesto el bizcocho– en un círculo completo.

GRAN DÍA

UNIDADES: 1 · TIEMPO DE ELABORACIÓN: 2 HORAS · DIFICULTAD: ALTA

INGREDIENTES
4 bizcochos Red Velvet
Crema de limón
Glasé real (rosa y blanco)
Fondant rosa y blanco
Pasta de goma (rosa, blanco y fucsia)

elaboración

Partimos los cuatro bizcochos en tres capas cada uno, rellenamos con la crema de limón y cubrimos todo el bizcocho con la misma crema, alisándolo bien con la espátula. Dejamos en el frigorífico hasta que asiente por completo la cobertura.Ponemos el bizcocho más grande –ya relleno– sobre una tabla giratoria y cubrimos con glasé real rosa. Dejamos que se seque.

Aparte, con un rodillo y sobre una superficie espolvoreada con azúcar, extendemos el fondant blanco (reservando un poco para los volantes y la blonda) y cubrimos, en primer lugar, la parte superior del bizcocho glaseado. Después cubrimos con el mismo fondant los otros tres bizcochos. Cuando esté bien asentado, decoramos con glasé real blanco. Para realizar los volantes, cortamos varias tiras de pasta de goma (blanca, rosa y fucsia), fruncimos la pasta (ver introducción) y presionamos los pliegues entre sí hasta que queden bien unidos. Dejamos secar y los pegamos al bizcocho cubierto con glasé real. Y para elaborar la blonda, cortamos una tira de fondant blanco –con la medida de la circunferencia del bizcocho– y grabamos el dibujo con un troquelador.

SUGERENCIA

Mientras estemos aplicando la cobertura, siempre debemos apoyar el bizcocho en una superficie rígida, que puede ser un plato de servicio o una bandeja de cartón. Estas últimas tienen la ventaja de que sirven de guía para saber la cantidad de cobertura que se ha aplicado a los lados de la tarta, puesto que se han cortado a la medida del molde del bizcocho y este normalmente encoge 1,25 cm en su diámetro total.

JUEGO DE NIÑOS

UNIDADES: 1 · TIEMPO DE ELABORACIÓN: 1 HORA Y 30 MINUTOS · DIFICULTAD: MEDIA

INGREDIENTES

3 mini bizcochos de yogur (de diferentes tamaños)
Crema de mantequilla con chocolate
Fondant (amarillo y crema)
Perlitas de azúcar
Un lacito amarillo
Pasta de goma (negra y rosa)

elaboración

Después de partir cada uno de los bizcochos en tres capas y rellenarlos y cubrirlos con la crema de mantequilla con chocolate, dejaremos que reposen en el frigorífico 30-60 minutos. Transcurrido el tiempo indicado, sacamos los bizcochos de la nevera y pasamos a decorarlos con el fondant.

Cubrimos el bizcocho más grande –que nos servirá para formar el cuerpo– mitad fondant crema, mitad con fondant amarillo y colocamos las perlitas. A continuación, hacemos la cara con el bizcocho mediano, cubriéndolo bien con fondant crema. Después, hacemos los ojitos, los mofletes, el pelo, la boca y la nariz con la pasta de goma. Ponemos un lacito. Luego, realizamos las orejas con fondant crema y las pegamos a la cara (ver introducción). Para formar los brazos, utilizamos el bizcocho más pequeño, que cortamos dándole la forma adecuada. Tras cubrir los dos brazos con fondant crema, los pegaremos al cuerpo. Por último, hacemos los pies, de igual manera que las orejas.

SUGERENCIA

La temperatura ambiente de la mantequilla se consigue solo dejándola fuera de la nevera. No sirve acercarla a algo caliente, ni meterla en el microondas, pues no se trata de que la mantequilla esté derretida, ni blanda, sino a temperatura ambiente. Sabremos si está a punto, cuando presionándola con el dedo, no «oponga» resistencia.

JUGUETES PARA COMÉRSELOS

UNIDADES: 4 · TIEMPO DE ELABORACIÓN: 2 HORAS Y 30 MINUTOS · DIFICULTAD: MEDIA

INGREDIENTES

4 mini bizcochos en forma de cubo •
Crema de mantequilla a la vainilla •
Glasé real blanco •
Pasta de goma (varios colores)

elaboración

Una vez hechos los bizcochos, dejamos que se enfríen en el frigorífico –durante varias horas– antes de partirlos, para que la textura esté más firme. Cuando ya se hayan asentado lo suficiente, partimos cada bizcocho en tres capas y rellenamos y cubrimos con la crema de mantequilla. Dejamos reposar durante media hora (mejor en la nevera).

Llenamos una manga pastelera con el glasé y cubrimos los bizcochitos, alisándolos después con una espátula. Extendemos la pasta de goma y cortamos primero unas tiras finas para hacer los bordes. Después, realizamos los diferentes adornos sobre la pasta de goma, con la ayuda de un cuchillo de punta fina o un buril, superponiendo las capas de fondant para conseguir un diseño con volumen (ver introducción) y pegamos en los bizcochitos con un poco de glasé real blanco.

SUGERENCIA

Para teñir el fondant podemos utilizar colorantes alimenticios en gel, polvo o pasta. Los líquidos no son recomendables, ya que aguan la masa y luego no se puede trabajar bien con ella.

LA CASITA DE QUESO

UNIDADES: 1 · TIEMPO DE ELABORACIÓN: 1 HORA Y 20 MINUTOS · DIFICULTAD: MEDIA

INGREDIENTES

100 g de pasas sin semillas
100 g de frutas confitadas
150 ml de brandy
130 g de mantequilla a temperatura ambiente
250 g de azúcar
2 yemas
230 g de harina con levadura
Una cucharadita de canela en polvo
2 claras a punto de nieve

PARA LA COBERTURA

Glasé real blanco
Mazapán refinado de naranja
Pasta de goma (blanca, rosa y negra)

elaboración

En un recipiente, ponemos las pasas y las frutas confitadas con el brandy y dejamos macerar durante toda la noche.

Batimos la mantequilla con el azúcar hasta obtener una crema y agregamos las yemas, una a una, sin dejar de batir. Tamizamos la harina con la canela y añadimos a la preparación anterior. Incorporamos las claras a punto de nieve y, por último, las frutas maceradas. Vertemos la preparación en un molde de fondo redondo – tipo charlota – engrasado y horneamos. Sacamos del horno, desmoldamos y dejamos enfriar varias horas o durante toda la noche.

Llenamos una manga pastelera con glasé y cubrimos el bizcocho. Extendemos la pasta de mazapán entre dos hojas de papel film y cubrimos el bizcocho. Por último, realizamos los ratoncitos (ver introducción) con la pasta de goma y pegamos en la tarta.

SUGERENCIA

Para preparar el mazapán refinado de naranja trituraremos –en un robot de cocina– 200 g de pasta de almendras, 100 g de fondant líquido aromatizado con esencia de almendras y 50 g de azúcar glas. Después, amasaremos a mano hasta que esté listo y lo guardaremos envuelto en papel film, al menos durante una hora, antes de usarlo.

LLUVIA DE CORAZONES

UNIDADES: 1 · TIEMPO DE ELABORACIÓN: 1 HORA Y 15 MINUTOS · DIFICULTAD: BAJA

INGREDIENTES

4 huevos • 180 g de azúcar glas • 250 g de queso mascarpone • 50 ml de leche • 80 ml de aceite de girasol • 150 g de harina • Una vaina de vainilla • 50 g de fécula de patata • Una sobre de levadura química • Una pizca de sal

PARA LA COBERTURA

Glasé real blanco • Virutas de chocolate blanco • Cake pops de fresa y chocolate blanco

elaboración

Forramos un molde con papel de horno y engrasamos con aceite de girasol. Montamos las claras a punto de nieve, y añadimos la mitad del azúcar para conseguir un merengue. Por otro lado, batimos las yemas con el resto del azúcar, hasta que estén blanquecinas y espumosas. Añadimos el queso, la leche y el aceite, y cuando todo está integrado, incorporamos la harina con la vainilla, la fécula de patata, la levadura y la sal, y continuamos batiendo hasta conseguir una masa homogénea.

Agregamos entonces las claras con movimientos envolventes, vertemos en el molde y horneamos, a 180 ºC, 30-40 minutos. Sacamos del horno, dejamos templar y desmoldamos. Llenamos una manga pastelera con glasé y repartimos sobre el bizcocho, alisándolo con una espátula. Cubrimos con las virutas de chocolate y decoramos con los cake pops.

SUGERENCIA

Para hacer las virutas de chocolate podemos utilizar un pelador de patatas. Una mayor presión producirá virutas más gruesas y más abiertas. Una menor presión hará las virutas más finas y más cerradas.

MANZANA ENCANTADA

UNIDADES: 1 · TIEMPO DE ELABORACIÓN: 1 HORA · DIFICULTAD: MEDIA

INGREDIENTES
Un bizcocho Red Velvet
Crema de mantequilla

PARA EL GLASEADO
7 cucharadas de agua
2 cucharadas de gelatina en polvo
150 g de jalea de frambuesa
14 g de licor de frambuesa

PARA LA DECORACIÓN
Pasta de goma (blanca, verde y chocolate)
Chocolate fundido
Sirope de frambuesa

elaboración

Partimos el bizcocho –con forma de manzana– en tres capas, rellenamos, cubrimos con la crema de mantequilla, y guardamos en el frigorífico hasta que la crema esté bien dura. Mientras, para elaborar el glaseado ponemos el agua en un tazón, espolvoreamos por encima la gelatina y dejamos que se ablande durante cinco minutos. Calentamos en el microondas o en un cazo rodeado de agua hirviendo hasta que se disuelva. Añadimos la gelatina a la jalea fundida y tamizada con el licor, y dejamos enfriar en el frigorífico hasta que espese un poco. Cubrimos el bizcocho con el glaseado y dejamos que endurezca antes de decorarlo.

Extendemos la pasta de goma chocolate, recortamos siguiendo el dibujo ampliado de la plantilla (ver introducción) y pegamos en el bizcocho con un poco de gel. Realizamos también con la pasta de goma el rabo con la hojita y el rosetón blanco. Por último, escribimos las letras del rosetón con un poco de chocolate fundido y dibujamos el corazón con sirope de frambuesa.

SUGERENCIA

Siempre que vayamos a glasear sobre una cobertura debemos asegurarnos de que el glaseado esté apenas caliente y de que la textura de la crema de mantequilla con la que hemos cubierto el bizcocho sea lo bastante consistente como para soportar que se la toque sin manchar, o se fundirá.

I
NY

MANJARES DE PALACIO

UNIDADES: 1 · TIEMPO DE ELABORACIÓN: 2 HORAS · DIFICULTAD: ALTA

INGREDIENTES

4 bizcochos (de diferentes tamaños) de manzana
Crema de mantequilla
Mazapán refinado
Fondant (rosa, crema, caramelo, blanco, violeta y malva)
Pasta de goma (rosa, blanca y violeta)
Perlitas (doradas y plateadas)

elaboración

Partimos cada uno de los bizcochos en dos capas, rellenamos y cubrimos con la crema de mantequilla, y guardamos en la nevera hasta que la cubierta haya endurecido lo suficiente como para poder decorarla.

Estiramos bien el mazapán entre dos papel film y cubrimos con él los bizcochos. A continuación, extendemos los diferentes fondants de cobertura (rosa, blanco, crema y malva) y ponemos encima de la capa de mazapán.

Para hacer la decoración, cortamos primero cuatro tiras de fondant (blanco, rosa, caramelo y violeta) y hacemos sobre ellas los dibujos con el troquelador (ver introducción). Para elaborar los lacitos, la diadema y el cordoncillo (ver introducción) emplearemos pasta de goma, ya que es más dúctil al trabajarla y las técnicas de troquelado o hendidos adecuadas. Por último, una vez aplicados todos los elementos decorativos, remataremos la decoración con las perlitas.

SUGERENCIA

Los bizcochos de fruta deben ser cubiertos con mazapán refinado antes de aplicar encima el fondant, para añadir sabor, sellar la humedad y evitar que la fruta destiña y manche.

NUBE DE CHOCOLATE

UNIDADES: 12 · TIEMPO DE ELABORACIÓN: 50 MINUTOS · DIFICULTAD: BAJA

INGREDIENTES

2 huevos • 125 g de mantequilla a temperatura ambiente •
250 g de azúcar • Ralladura de un limón • 2 plátanos triturados •
Una cucharada de bicarbonato sódico • 2 cucharadas de agua hirviendo •
250 g de harina de repostería

PARA LA COBERTURA

Glasé real blanco • Fondant rosa •
Chocolate fundido

elaboración

En un bol batimos los huevos ligeramente, y en otro, la mantequilla junto con el azúcar hasta que quede cremosa. Unimos las dos preparaciones y agregamos la ralladura de limón y los plátanos triturados. Después, incorporamos el bicarbonato, previamente disuelto en agua hirviendo. Por último, añadimos la harina y mezclamos de forma envolvente hasta obtener una masa homogénea. Vertemos en moldecitos engrasados y horneamos. Sacamos del horno, dejamos que se templen y desmoldamos.

Llenamos una manga pastelera con glasé y repartimos sobre los bizcochitos, alisando bien con una espátula. Dejamos que asiente antes de cubrir con el fondant, que previamente habremos extendido. Por último, llenamos un biberón –de repostería– con chocolate fundido y decoramos los pastelitos.

SUGERENCIA

Si utilizamos un plato de servicio para poner encima el bizcocho mientras lo estemos decorando, deslizaremos unas cuantas tiras de papel encerado bajo los bordes. Estas mantienen la fuente limpia y se pueden retirar cuando el postre esté terminado.

PARA SIEMPRE

UNIDADES: 1 · TIEMPO DE ELABORACIÓN: 1 HORA Y 30 MINUTOS · DIFICULTAD: MEDIA

INGREDIENTES
Un huevo
Una pizca de sal
60 g de mantequilla a temperatura ambiente
100 g de azúcar
2 cucharaditas de esencia de vainilla
100 g de harina de repostería
3 g de levadura química
20 ml de vino Moscatel
40 ml leche

PARA EL RELLENO Y COBERTURA
Crema de limón
Fondant blanco
Glasé real blanco
Pasta de goma rosa

elaboración

Separamos la clara de la yema, añadimos la pizca de sal a la clara y montamos a punto de nieve. Aparte, batimos la mantequilla junto con el azúcar y la esencia de vainilla. Añadimos la yema de huevo, mezclamos y reservamos. Por un lado, mezclamos la harina con la levadura y, por otro, el vino Moscatel con la leche. A la mezcla con la mantequilla le vamos añadiendo un poco de harina y otro poco de leche, hasta terminarlo y mezclarlo todo bien. Agregamos la clara montada a la mezcla que hemos ido preparando y mezclamos con cuidado. Echamos en un molde untado con mantequilla y horneamos, a 180 ºC durante 30-35 minutos. Sacamos del horno, dejamos templar, desmoldamos y guardamos en el frigorífico, envuelto en papel film, hasta el día siguiente.

Partimos el bizcocho en tres capas, rellenamos y cubrimos con la crema de limón, y dejamos que endurezca. Cubrimos con el fondant extendido, dejando alrededor una cenefa, que recortaremos con un corta pastas. Cortamos los corazones en la pasta de goma y pegamos a la tarta. Por último, llenamos una manga pastelera con glasé real y dibujamos los ramilletes y las perlitas que adornan la cenefa.

SUGERENCIA

Esta tarta es una opción muy adecuada para una pedida de mano, una boda o incluso un día de San Valentín. Los corazones se pueden sustituir por mensajes de amor.

PEDIDA DE MANO

UNIDADES: 1 · TIEMPO DE ELABORACIÓN: 1 HORA Y 20 MINUTOS · DIFICULTAD: BAJA

INGREDIENTES

400 g harina de repostería
150 g de azúcar
2 cucharaditas de levadura química
2 cucharaditas de bicarbonato sódico
Una pizca de sal
Una cucharada de canela en polvo
2 cucharaditas de jengibre en polvo
2 cucharaditas de nuez moscada
175 g de azúcar
425 g de puré de calabaza
290 ml de aceite de girasol
5 huevos grandes

PARA EL RELLENO Y COBERTURA

250 g de nata para montar
500 g de queso crema
200 g de azúcar glas tamizada
Fondant blanco

elaboración

Engrasamos dos moldes desmoldables (de diferentes tamaños) y cubrimos la base con papel de hornear. Tamizamos la harina con el azúcar, la levadura, el bicarbonato y las especias, y reservamos. Mezclamos el azúcar con $^{1}/_{3}$ del puré de calabaza y batimos hasta conseguir una mezcla homogénea. Añadimos el resto del puré y el aceite y volvemos a batir. Agregamos los huevos ligeramente batidos, uno a uno. Incorporamos los ingredientes secos en tres veces, y batimos hasta que estén integrados. Repartimos la masa entre los dos moldes y horneamos 20-25 minutos. Sacamos del horno, dejamos templar y desmoldamos. Cuando los bizcochos estén totalmente fríos, los envolvemos en papel film y los guardamos en el frigorífico hasta el día siguiente. Aparte, montamos la nata y reservamos. Batimos el queso con el azúcar tamizada hasta obtener una mezcla uniforme y cremosa, añadimos la nata montada, mezclamos bien y reservamos.

Partimos en tres capas cada uno de los bizcochos y rellenamos y cubrimos con la crema de queso. Guardamos en el frigorífico hasta que se asiente. Por último, cubrimos los bizcochos con el fondant y decoramos con las cintas, los lazos y las flores.

SUGERENCIA

Una vez cubierto el bizcocho con fondant, lo recortaremos en la base con una rueda de cortar pizzas o un cuchillo bien afilado. Y si lo consideramos necesario, podemos continuar alisándolo mientras se seca durante los primeros 30 minutos aproximadamente.

ROSAS PARA ENDULZAR

UNIDADES: 1 · TIEMPO DE ELABORACIÓN: 1 HORA Y 35 MINUTOS · DIFICULTAD: BAJA

INGREDIENTES
350 g de harina de repostería
Una cucharada de bicarbonato sódico
¼ cucharadita de sal
150 ml de agua hirviendo
60 g de cacao en polvo
250 g de mantequilla a temperatura ambiente
375 g de azúcar
4 huevos
240 ml suero de leche (buttermilk)
2 cucharaditas de extracto de almendras

PARA LA COBERTURA
Glasé real blanco
Chocolate fundido
Pasta de goma (chocolate)

elaboración

Engrasamos un molde bundt con mantequilla. Tamizamos la harina con el bicarbonato y la sal, y reservamos. Hervimos el agua y, cuando llegue a ebullición, añadimos al cacao en polvo. Batimos enérgicamente hasta obtener una masa homogénea y sin grumos. Reservamos. Batimos la mantequilla y el azúcar y, después, agregamos los huevos ligeramente batidos, uno a uno. Incorporamos un tercio de la harina y continuamos batiendo.

Añadimos la mitad del buttermilk y continuamos batiendo, alternando los ingredientes y terminando con la harina. Incorporamos el extracto de almendra y la mezcla del cacao y el agua, mezclando bien para que la masa quede de un color uniforme. Vertemos en un molde de bundt engrasado con mantequilla y horneamos 55-60 minutos, a 170 °C. Sacamos del horno, dejamos templar y desmoldamos. Aplicamos el glaseado y dejamos que endurezca. Rellenamos el hueco del bizcocho con chocolate fundido, dejando que rebose. Por último, decoramos con las rosas de pasta de goma de chocolate (ver introducción).

SUGERENCIA

Hay dos reglas fundamentales para fundir el chocolate: nunca debe alcanzar una temperatura superior a 48,9 °C porque perderá sabor y el agua –hasta una gota de vapor– no deberá tocarlo jamás, pues cuando una gota de agua se cuela en el chocolate, se pone grumoso.

Índice de americanismos

Aceite. Óleo.
Albaricoque. Damasco, albarcoque, chabacano.
Almíbar. Jarabe de azúcar, agua dulce, sirope, miel de abeja.
Azúcar glas. Azúcar glacé.
Bizcocho. Biscocho, galleta, cauca.
Chocolate. Cacao, soconusco.
Crema de leche. Flor de leche.
Frambuesa. Mora.
Fresa. Frutilla.
Gelatina. Jaletina, granetina.
Huevo. Blanquillo.
Limón. Acitrón, bizuaga.
Maíz. Cuatequil, copia, canfuril.
Mantequilla. Manteca.
Merengue. Besito.
Mora. Nato.
Nata. Crema, chantilly.
Nata líquida. Crema de leche sin batir.
Nuez. Coca.
Pasas. Uva pasa, uva.
Pastel. Budin.
Patata. Papa.
Plátano. Banana, banano, cambur, pacoba.
Zumo. Jugo.

Términos usuales

A fuego lento. Cocción lenta realizada con llama baja.

Almíbar. Jarabe hecho con azúcar disuelto en agua. Según la temperatura alcanzada y el tiempo de cocción, recibe diferentes nombres o puntos inspirados en el comportamiento que asume el almíbar (punto de hilo, punto de bola, etc.).

Amasar. Unir los ingredientes sólidos y líquidos que componen una masa a fin de hacer un bollo compacto o trabajarlo para conseguir determinados resultados durante el horneado.

Azúcar glas. Azúcar molido a tamaño de polvo al que se añade un 2% o 3% de almidón.

Baño María. Técnica para calentar lentamente un alimento, que consiste en colocar la cazuela que lo contiene dentro de otra mayor, con agua hirviendo.

Batir. Remover con enérgicos movimientos circulares y ascendentes uno o varios ingredientes para que entre aire en el líquido o la masa que forman.

Bizcocho Red Velvet. También llamado pastel de terciopelo rojo, es un bizcocho o pastel de color rojo intenso, conseguido con colorantes alimentarios, ya que el resto de ingredientes (mantequilla, harina, etc.) son similares a los de cualquier bizcocho.

Boquilla. Cono de plástico o metal, con el vértice cortado en diferentes diseños, que se utiliza con la manga pastelera para dar forma a las cremas.

Buttercream. crema de mantequilla con azúcar en polvo para rellenar o cubrir pasteles.

Candy Melt's. Pasta de chocolate de distintos colores que se funde para cubrir pop cakes y a la que se puede dar la forma que se quiera.

Decorar. Adornar y embellecer una preparación culinaria.

Engrasar. Untar un molde, fuente de horno o papel con un elemento graso (mantequilla, manteca o aceite) a fin de que la masa que se deposite sobre él no se pegue.

Espolvorear. Esparcir un ingrediente en polvo, pequeños granos o virutas sobre la superficie de una preparación culinaria.

Fondant o fondant extendido. Pasta de gelatina, manteca, agua y azúcar utilizada para cubrir y decorar tartas y otros productos de repostería.

Fundir. Acción de derretir alimentos sólidos mediante el calor.

Ganache. Mezcla que sirve de base para las trufas de chocolate hecha con nata y chocolate.

Glasé real o royal icing. Mezcla de claras de huevo, azúcar glas y zumo de limón para cubrir todo tipo de dulces. Pueden ser de distintos colores añadiendo colorantes alimentarios.

Glasear. Cubrir una preparación con glasé o con glasé real.

Lemon curd. Limón cuajado. Es una crema de limón con aspecto parecido a la mermelada fina que sirve de relleno en tartas y otros postres.

Manga pastelera. Cono de tela o plástico en cuyo vértice truncado se coloca una boquilla. Se emplea para distribuir y dar forma decorativa a las cremas.

Merengue. Preparación hecha con clara de huevo batida a punto de nieve y azúcar.

Molde bundt. Tipo de molde para hacer bizcochos y bases de tartas que consiste en una forma circular con un agujero en medio, aunque se le pueden dar formas muy diversas.

Montar. Batir enérgicamente una preparación hasta que espese. Es un término que suele emplearse para referirse a la nata y a las claras de huevo.

Pasta de goma. Muy parecida al fondant, es una pasta de azúcar, goma tragacanto (CMC), manteca, agua y glucosa, que se puede fabricar en distintos colores y que se usa en repostería para hacer adornos, ya que es muy elástica y fácil de modelar.

Piping gel. Gel comestible, transparente y gelatinoso empleado en repostería para pegar adornos o para dar un acabado brillante.

Punto de pomada. Se denomina así a la mantequilla a temperatura ambiente.

Toppings. Elementos para decorar postres, generalmente de azúcar o de chocolate, con diversas formas: pequeños círculos, fideos, corazoncitos, etc.

Whoopie pie. Pastelito americano normalmente hecho con dos bizcochos-galleta de chocolate rellenos de alguna crema de queso.

Índice de recetas